브랜딩과 디자인 첫걸음
창업자를 위한 실전 가이드

조 은 영 지음

브랜딩과 디자인 첫걸음

발행	|	2024년 3월 30일
저자	|	조은영
디자인	|	어비, 미드저니
편집	|	어비
펴낸이	|	송태민
펴낸곳	|	열린 인공지능
등록	|	2023.03.09(제2023-16호)
주소	|	서울특별시 영등포구 영등포로 112
전화	|	(0505)044-0088
이메일	|	book@uhbee.net

ISBN | 979-11-93116-79-1

www.OpenAIBooks.shop

브랜딩과 디자인 첫걸음

창업자를 위한 실전 가이드

조 은 영 지음

목차

머리말

세상은 끊임없이 변하고 경쟁이 치열해지는 시대입니다. 이제는 창업자들이 브랜딩과 디자인을 통해 독보적인 아이덴티티를 구축하고 고객들과의 강한 연결을 형성해야 합니다. 이 책은 창업자들을 위한 브랜딩과 디자인의 가이드로서, 브랜드를 새로 런칭하거나 성장을 원하는 사업가들에게 경쟁력을 갖추기 위한 필수적인 도구와 전략을 제공합니다.

우리는 이 책을 통해 브랜딩과 디자인의 중요성을 강조하고, 창업자들이 브랜드 아이덴티티를 구축하고 고객들과의 강한 연결을 형성하는 방법을 안내할 것입니다. 독자들은 브랜닝과 디자인의 핵심 개념을 이해하고, 실무에 적용하기 쉬운 전략과 프로세스를 통해 독자들의 브랜드가 독창적이고 인상적인 아이덴티티를 구축할 수 있도록 도움을 드릴 것입니다.

이 책을 읽는 여러분 모두에게 브랜딩과 디자인의 힘을 전달하고, 독자들의 창업과 비즈니스 성공에 도움이 되기를 바랍니다."

<본 도서는 뤼튼 (https://wrtn.ai),

바드 (https://bard.google.com),

클로바X (https://clova-x.naver.com)

를 통해 글쓰기를 했습니다.>

저자 소개

조은영(나이슬리)는 산업디자인을 전공하고 컬러리스트기사 자격을 보유한 'Nicely Design'의 대표이자 프리랜서 디자이너이다. 많은 사람들에게 좋은 경험으로 기억 될 브랜딩과 디자인에 대한 애정을 가지고 로고, 명함, 패키지, 리플렛, 상세페이지 등 다양한 디자인 작업을 수행하고 있다.

'심플함에 감성 한 방울'이라는 슬로건을 모토로 깔끔하고 간결하지만 따뜻한 감성이 전달되는 디자인을 추구한다.

디자인 뿐만 아니라 마케팅, 영상편집, AI기술 등 다양한 분야에 관심을 가지며 습득한 지식이나 스킬을 무기로 활용하여 성장해 나가는 것과 그런 경험을 바탕으로 다른 사람에게 도움을 주는 일을 좋아한다.

Chapter 1
브랜딩과 디자인의 이해

01 | 브랜딩의 정의와 중요성

일반적으로 사람들은 브랜딩을 다음과 같이 생각합니다. 제품이나 서비스의 이름, 로고, 디자인, 광고 등을 통해 소비자들에게 특정 이미지나 느낌을 심어주는 것. 브랜드의 가치와 신뢰를 높이고 소비자의 충성도를 높이는 것. 즉, 브랜딩은 소비자들이 특정 브랜드를 떠올릴 때 어떤 이미지나 느낌을 갖게 할 것인지를 계획하고 실행하는 과정이라고 할 수 있습니다.

구체적으로는 다음과 같은 활동들이 브랜딩에 포함됩니다.

- 브랜드 아이덴티티(BI) 개발
- 브랜드 스토리텔링
- 브랜드 커뮤니케이션
- 브랜드 경험 디자인

브랜드 아이덴티티는 브랜드의 정체성을 나타내는 요소들로, 이름, 로고, 디자인, 슬로건, 컬러, 가치관 등이 포함됩니다. 브랜드 스토리텔링은 브랜드의 탄생과 성장 과정, 가치관 등을 이야기로 풀어내는 것입니다.

브랜드 커뮤니케이션은 브랜드의 이미지와 가치를 전달하기 위한 다양한 활동으로, 광고, 홍보, SNS 등을 통해 이루어집니다. 브랜드 경험 디자인은 소비자들이 브랜드와 접하는 모든 순간에 일관된 경험을 제공하는 것입니다. 이러한 활동들을 통해 브랜드는 소비자들의 마음속에 강한 인상을 남기고, 경쟁사와 차별화된 경쟁력을 확보할 수 있습니다.

한국의 경우, 브랜딩에 대한 인식이 점차 높아지고 있습니다. 과거에는 브랜드를 단순히 제품이나 서비스의 이름이나 로고 정도로 생각하는 경우가 많았지만, 최근에는 브랜드가 소비자와의 관계를 형성하고, 기업의 가치를 전달하는 중요한 수단으로 인식되고 있습니다.

특히, 온라인과 모바일의 발달로 소비자와의 접점이 다양해지고, 소비자들의 요구가 다양해지면서, 브랜드의 중요성은 더욱 커지고 있습니다. 소비자들은 단순히 제품이나 서비스의 품질만을 보고 구매하지 않고, 브랜드의 가치와 이미지도 중요하게 고려하기 때문입니다. 따라서, 기업들은 소비자들의 마음을 사로잡는 강력한 브랜드를 구축하기 위해 노력해야 합니다.

개인 사업을 시작하는 사람들에게 브랜딩은 매우 중요합니다. 왜냐하면 브랜딩을 통해 다음과 같은 효과를 얻을 수 있기 때문입니다.

- 고객의 신뢰와 충성도를 높일 수 있습니다. 고객은 브랜드에 대한 신뢰와 충성도가 높을수록 해당 브랜드의 제품이나 서비스를 더 선호하게 됩니다.
- 시장 경쟁력을 높일 수 있습니다. 잘 구축된 브랜드는 고객의 기억에 오래 남아 경쟁 브랜드와 차별화되는 효과를 가져옵니다.
- 사업의 성장을 촉진할 수 있습니다. 브랜딩은 사업의 인지도와 매출을 높이는 데 도움이 됩니다.

브랜딩은 다음과 같은 과정을 거쳐 진행할 수 있습니다.

1. 브랜드 아이덴티티(Brand Identity)를 확립합니다. 브랜드 아이덴티티는 브랜드의 정체성과 가치를 나타내는 요소입니다. 여기에는 브랜드의 미션, 비전, 가치, 타겟 고객, 브랜드 톤앤매너 등이 포함됩니다.

2. 브랜드 커뮤니케이션 전략을 수립합니다. 브랜드 아이덴티티를 고객에게 효과적으로 전달하기 위한 전략을 수립합니다. 여기에는 브랜드 슬로건, 로고, 디자인, 마케팅 커뮤니케이션 등이 포함됩니다.

3. 일관성 있는 브랜드 이미지를 구축합니다. 브랜드 아이덴티티와 커뮤니케이션 전략을 바탕으로 모든 채널에서 일관성 있는 브랜드 이미지를 구축합니다.

개인 사업을 시작하는 경우에도 브랜딩은 매우 중요합니다. 개인 사업은 규모가 작기 때문에 브랜딩을 통해 고객들에게 기업의 가치와 이미지를 전달하는 것이 더욱 중요합니다. 브랜딩을 통해 고객들에게 기업의 신뢰감을 주고, 경쟁사들과 차별화된 이미지를 구축할 수 있습니다.

다음은 비즈니스를 위한 브랜딩을 시작하는 데 도움이 되는 몇 가지 팁입니다.

- 고객을 먼저 이해하십시오. 고객이 원하는 것이 무엇인지, 어떤 가치를 중요하게 여기는지 이해하는 것이 중요합니다.
- 차별화된 브랜드를 구축하십시오. 경쟁 브랜드와 차별화되는 브랜드를 구축하는 것이 중요합니다.
- 꾸준히 노력하십시오. 브랜딩은 일회성이 아니라 지속적인 노력이 필요한 과정입니다.

개인 사업을 시작하는 경우에는 자신의 사업 분야와 타겟 고객층을 고려하여 브랜딩 전략을 수립해야 합니다. 자신의 사업 분야와 타겟 고객층에 맞는 브랜드 이미지를 구축하고, 이를 효과적으로 전달할 수 있는 디자인을 개발해야 합니다. 브랜딩이 처음에는 어렵게 느껴질 수 있습니다. 하지만 시간을 들여 체계적으로 진행한다면 사업을 성공으로 이끄는 중요한 요소가 될 수 있습니다

02 | 디자인의 정의와 역할

디자인은 제품이나 서비스를 시각적으로 표현하는 수단으로 미학적, 기능적, 상징적 요소를 사용하여 사람들의 경험을 개선하는 과정입니다. 이를 통해 고객들은 제품이나 서비스를 더욱 쉽게 이해하고, 호감을 느낄 수 있습니다. 또한, 디자인은 기업의 브랜드 이미지를 강화하고, 고객들의 기억에 오래 남게 해줍니다.

브랜드 이미지를 구축하기 위해 필요한 디자인은 다음과 같은 역할을 합니다.

① 브랜드 이미지 강화 : 디자인은 기업의 브랜드 이미지를 강화하는 역할을 합니다. 디자인은 기업의 가치와 이미지를 반영하고, 고객들에게 기업의 브랜드 이미지를 전달합니다.

② 고객 유치 : 디자인은 고객 유치에 큰 역할을 합니다. 디자인은 고객들에게 제품이나 서비스를 더욱 쉽게 이해하고, 호감을 느낄 수 있도록 해줍니다.

③ 매출 증가 : 디자인은 매출 증가에 큰 역할을 합니다. 디자인은 고객들에게 제품이나 서비스를 더욱 매력적으로 보이게 하고, 구매 욕구를 자극합니다.

비즈니스에 필요한 디자인의 종류는 어떤게 있을까요?

- 브랜드 디자인 : 브랜드 디자인은 브랜드의 정체성을 나타내는 요소들로, 이름, 로고, 디자인, 슬로건, 컬러,

가치관 등이 포함됩니다. 브랜드 디자인은 소비자들에게 브랜드의 이미지와 가치를 전달하는 데 중요한 역할을 합니다.

- 제품 디자인 : 제품 디자인은 제품의 외관과 기능을 설계하는 것입니다. 제품 디자인은 제품의 경쟁력과 소비자 만족도를 높이는 데 중요한 역할을 합니다.

- 서비스 디자인 : 서비스 디자인은 서비스의 경험을 설계하는 것입니다. 서비스 디자인은 서비스의 이용 편리성과 만족도를 높이는 데 중요한 역할을 합니다.

- 웹 디자인 : 웹 디자인은 웹사이트의 외관과 기능을 설계하는 것입니다. 웹 디자인은 웹사이트의 방문자 수를 늘리고, 방문자들의 만족도를 높이는 데 중요한 역할을 합니다.

- 그래픽 디자인 : 그래픽 디자인은 이미지, 텍스트, 색상 등을 사용하여 시각적 효과를 만드는 것입니다. 그래픽 디자인은 홍보, 마케팅, 콘텐츠 제작 등에 활용됩니다.

비즈니스의 종류와 규모에 따라 필요한 디자인은 달라질 수 있습니다. 예를 들어, 소규모 개인 사업의 경우, 기본적인 브랜드 디자인과 웹 디자인만으로도 충분할 수 있습니다.

반면, 대규모 개인 사업의 경우, 제품 디자인, 서비스 디자인, 그래픽 디자인 등 다양한 디자인이 필요할 수 있습니다.

브랜딩을 위한 디자인을 구축할 때는 다음과 같은 점을 고려하는 것이 좋습니다.

- 브랜드 아이덴티티를 반영합니다. 브랜드의 미션, 비전, 가치 등을 반영하는 디자인을 해야 합니다.

- 타겟 고객을 고려합니다. 타겟 고객이 공감할 수 있는 디자인을 해야 합니다. 사업의 목표와 타겟 고객을 고려하여 디자인을 선택해야 하며, 사업의 목표가 무엇인지, 타겟 고객은 누구인지에 따라 필요한 디자인이 달라질 수 있습니다.

- 일관성을 유지합니다. 모든 채널에서 일관된 디자인을 사용해야 합니다.

비즈니스를 성공으로 이끄는데 효과적으로 도움이 되는 디자인을 구축하기 위해서는 디자인 에이전시 또는 플랫폼을 통하거나 디자이너에게 직접 외주를 의뢰하는 등 전문가의 도움을 받는 것도 좋은 방법입니다.

03 | 브랜딩과 디자인의 관계

브랜딩과 디자인은 서로 밀접한 관계가 있습니다. 브랜딩은 브랜드의 정체성과 가치를 고객에게 전달하는 과정이고, 디자인은 브랜드의 정체성과 가치를 시각적으로 표현하는 과정이기 때문입니다. 브랜딩과 디자인은 서로 시너지 효과를 발휘하여 브랜드의 성공을 이끄는 데 중요한 역할을 합니다.

브랜딩은 브랜드 아이덴티티를 통해 브랜드의 정체성과 가치를 명확히 하고, 디자인은 브랜드 이미지 시각적으로 표현함으로써 고객들의 기억에 오래 남게 해주기 때문에 브랜딩과 디자인을 함께 고려하여 브랜드 전략을 수립한다면, 보다 성공적인 사업을 이끌 수 있을 것입니다.

그럼 브랜드에 어울리는 디자인을 효과적 하려면 어떤 점을 고려해야 할까요?

1. 브랜드 아이덴티티를 시각적으로 표현

브랜드 아이덴티티는 브랜드의 미션, 비전, 가치, 타겟 고객 등을 포함합니다. 디자인은 이러한 브랜드 아이덴티티를 시각적으로 표현하여 고객에게 전달하는 역할을 합니다.

예를 들어, 친환경을 지향하는 브랜드의 경우, 로고는 친환경을 상징하는 이미지나 색상을 사용하여 디자인할 수 있습니다. 또한, 브랜드 컬러는 자연을 연상시키는 색상을 사용하고, 브랜드 서체는 부드럽고 자연스러운 느낌을 주는 서체를 사용할 수 있습니다.

 브랜드 아이덴티티를 시각적으로 표현하는 방법은 크게 다음과 같은 세 가지로 나눌 수 있습니다.

① 로고 : 로고는 브랜드의 정체성을 가장 대표적으로 나타내는 시각적 요소입니다. 따라서, 브랜드 아이덴티티를 시각적으로 표현하는 데 가장 중요한 요소라고 할 수 있습니다. 로고는 브랜드의 이름, 상징, 슬로건 등을 포함하여 브랜드의 이미지와 가치를 표현할 수 있습니다.

② 컬러 : 컬러는 브랜드의 이미지와 가치를 표현하는 데 중요한 역할을 합니다. 예를 들어, 빨간색은 열정과 에너지를, 파란색은 신뢰와 안정을, 녹색은 자연과 친환경을 상징하는 색입니다. 따라서, 브랜드의 아이덴티티에 맞는 컬러를 선택하여 브랜드를 시각적으로 표현할 수 있습니다.

③ 그래픽 디자인 : 그래픽 디자인은 이미지, 텍스트, 레이아웃 등을 사용하여 시각적 효과를 만드는 것입니다. 브랜드 아이덴티티를 시각적으로 표현하기 위해 다양한 그래픽 디자인 요소들을 활용할 수 있습니다. 예를 들어, 브랜드의 슬로건이나 가치를 담은 이미지를 활용하거나, 브랜드의 특징을 나타내는 그래픽 요소를 활용할 수 있습니다. 브랜드 아이덴티티를 시각적으로 효과적으로 표현하면, 브랜드의 이미지와 가치를 소비자

들에게 강렬하게 각인시킬 수 있습니다.

2. 브랜드의 차별성 강조

디자인은 브랜드의 차별성을 강조하는 데에도 중요한 역할을 합니다. 경쟁 브랜드와 차별화되는 독특한 디자인을 통해 브랜드를 기억에 남기도록 하는 것입니다.

예를 들어, 기존의 로고와는 차별화된 독특한 디자인의 로고를 사용하거나, 타겟 고객의 눈길을 사로잡는 그래픽 디자인을 사용하거나, 혁신적인 웹 디자인을 사용함으로써 브랜드의 차별성을 강조할 수 있습니다.

브랜드의 차별성을 디자인적으로 표현하는 방법은 크게 다음과 같은 세 가지로 나눌 수 있습니다.

① 독창적인 디자인

독창적인 디자인은 브랜드의 차별성을 가장 효과적으로 표현하는 방법입니다. 독창적인 디자인은 기존의 디자인과 차별화되어 소비자들의 눈길을 끌 수 있습니다. 예를 들어, 나이키의 "Swoosh" 로고는 기존의 로고와는 다른 독특한 디자인으로 브랜드의 차별성을 표현하고 있습니다.

② 감각적인 디자인

감각적인 디자인은 소비자들의 감성을 자극하여 브랜드의 차별성을 표현하는 방법입니다. 감각적인 디자인은 브랜드의 이미지와 가치를 소비자들에게 보다 효과적으로 전달할 수 있습니다. 예를 들어, 애플의 제품 디자인은 감각적인 디자인으로 소비자들의 마음을 사로잡고 있습니다.

③ 실용적인 디자인

실용적인 디자인은 브랜드의 기능성과 편리성을 강조하여 브랜드의 차별성을 표현하는 방법입니다. 실용적인 디자인은 소비자들에게 브랜드의 가치를 실질적으로 전달할 수 있습니다. 예를 들어, IKEA의 가구는 실용적인 디자인으로 소비자들에게 큰 인기를 얻고 있습니다.

이외에도, 브랜드의 차별성을 디지인적으로 표현하기 위해 다음과 같은 방법들을 활용할 수 있습니다.

- 유머나 위트
- 반전이나 신선함
- 기억에 남는 이미지
- 감성적인 메시지

3. 고객의 신뢰와 호감을 유도

잘 디자인된 브랜드는 고객의 신뢰와 호감을 유도하여 구매를 촉진하는 데에도 도움이 됩니다. 잘 디자인된 브랜드는 고객에게 전문성, 신뢰성, 호감 등을 전달하기 때문입니다. 예를 들어, 세련되고 고급스러운 디자인의 브랜드는 고객에게 전문성과 신뢰성을 전달합니다. 또한, 친근하고 따뜻한 느낌을 주는 디자인의 브랜드는 고객에게 호감을 전달합니다.

디자인으로 고객의 신뢰와 호감을 유도하기 위해서는 다음과 같은 점을 중요하게 생각해야 합니다.

① 타겟 고객을 이해하세요.

디자인은 타겟 고객을 위한 것입니다. 따라서, 디자인을 시작하기 전에 타겟 고객을 이해하는 것이 중요합니다. 타겟 고객의 연령, 성별, 관심사, 라이프스타일 등을 이해하면, 그들이 원하는 디자인을 할 수 있습니다. 디자인은 고객에게 친숙하고 이해하기 쉬워야 합니다. 따라서, 고객의 눈높이에서 디자인을 해야 합니다.

② 브랜드 아이덴티티를 반영하세요.

디자인은 브랜드 아이덴티티를 시각적으로 표현하는 것입니다. 따라서, 디자인은 브랜드의 이미지와 가치를 반영해야 합니다. 브랜드의 이름, 로고, 슬로건, 컬러, 서체 등을 활용하여 브랜드 아이덴티티를 효과적으로 전달할 수 있습니다.

③ 일관성을 유지하세요.

디자인은 모든 채널에서 일관된 이미지를 전달해야 합니다. 홈페이지, 제품 패키지, 광고, 홍보물 등에서 동일한 디자인 요소를 사용하여 일관된 브랜드 이미지를 유지해야 합니다.

④ 전문성을 갖추세요.

디자인은 전문적인 기술과 지식이 필요합니다. 따라서, 디자인을 할 때는 전문적인 지식을 갖춘 디자이너와 함께하는 것이 좋습니다.

 이러한 점을 고려하여 디자인을 하면, 고객의 신뢰와 호감을 유도하고, 브랜드의 성공에 기여할 수 있을 것입니다.

04 l 성공적인 브랜딩&디자인 사례

 다음은 브랜딩과 디자인이 시너지를 내며 고객들에게 긍정적인 경험을 제시하는 사례 입니다.

나이키 (Nike)

※ 출처 : 어페럴 뉴스

나이키는 "Just Do It"이라는 슬로건과 "Swoosh" 로고로 잘 알려진 세계적인 스포츠 브랜드입니다. 나이키의 브랜딩은 다음과 같은 요인에 기인합니다.

1) 명확한 브랜드 아이덴티티 : 나이키의 브랜드 아이덴티티는 "Just Do It"이라는 슬로건으로 요약할 수 있습니다. 이 슬로건은 사람들에게 도전과 열정을 불러일으키며, 나이키가 추구하는 가치를 잘 표현합니다.

2) 강력한 브랜드 스토리텔링 : 나이키는 자사의 슬로건을 바탕으로 다양한 캠페인을 통해 브랜드 스토리를 전달해왔습니다. 이러한 캠페인들은 소비자들에게 깊은 인상을 남기며, 나이키에 대한 긍정적인 이미지를 형성하는 데 기여했습니다.

※ 출처 : GQ코리아

3) 일관된 브랜드 경험 : 나이키는 모든 채널에서 일관된 브랜드 경험을 제공하기 위해 노력합니다. 이는 나이키의 로고, 디자인, 컬러 등 브랜드 아이덴티티를 일관되게 유지하는 것뿐만 아니라, 직원들의 고객 응대 방식에도 적용됩니다.

끊임없는 혁신과 도전, 그리고 소비자 중심의 마인드셋에서 비롯한 나이키의 이러한 노력은 소비자들의 마음속에 강력한 브랜드 이미지를 구축하는 데 성공했으며, 나이키는 세계적인 스포츠 브랜드로 성장할 수 있었습니다.

스타벅스 (Starbucks)

※ 이미지 출처 : 스타벅스 홈페이지

스타벅스는 "여유와 휴식을 제공하는 커피 전문점"으로 잘 알려진 세계적인 커피 브랜드입니다. 스타벅스의 브랜딩은 다음과 같은 요인에 기인합니다.

1) 편안한 분위기 : 스타벅스의 매장은 편안하고 아늑한 분위기로 꾸며져 있습니다. 이는 고객들이 스타벅스에 머물며 커피와 함께 여유로운 시간을 즐길 수 있도록 배려한 것입니다.

2) 고품질의 커피 : 스타벅스는 고품질의 커피를 제공하기 위해 노력합니다. 이는 스타벅스의 커피에 대한 자부심과 고객의 만족도를 높이기 위한 노력의 일환입니다.

※ 이미지 출처 : 셔터스톡

3) 지역사회와의 연계 : 스타벅스는 지역사회와 연계된 다양한 활동을 통해 지역사회에 기여하고 있습니다. 이러한 활동들은 스타벅스에 대한 긍정적인 이미지를 형성하는 데 기여합니다.

스타벅스의 이러한 노력은 소비자들의 마음속에 "편안한 휴식 공간"이라는 브랜드 이미지를 구축하는 데 성공했으며, 스타벅스는 세계적인 커피 브랜드로 성장할 수 있었습니다.

구글 (Google)

 구글은 "세상을 더 나은 곳으로 만들기"라는 미션을 가진 세계적인 IT 기업입니다. 구글의 브랜딩은 다음과 같은 요인에 기인합니다.

1) 명확한 브랜드 아이덴티티 : 구글의 브랜드 아이덴티티는 "세상을 더 나은 곳으로 만들기"라는 미션으로 요약할 수 있습니다. 이 미션은 구글이 추구하는 가치를 잘 표현하며, 소비자들에게 긍정적인 인상을 남기고 있습니다.

※ 이미지 출처 : 나무위키

2) 혁신적인 기술 : 구글은 끊임없이 혁신적인 기술을 개발하며 소비자들의 삶을 변화시키고 있습니다. 이러한 혁신은 구글에 대한 긍정적인 이미지를 형성하는 데 기여합니다.

3) 소비자 중심의 서비스 : 구글은 소비자 중심의 서비스를 제공하기 위해 노력합니다. 이는 구글의 제품과 서비스가 소비자들의 필요 충족시키기 위해 배려한 것입니다.

구글의 이러한 노력은 소비자들의 마음속에 "혁신적인 기술로 세상을 더 나은 곳으로 만드는 기업"이라는 브랜드 이미지를 구축하는 데 성공했으며, 구글은 세계적인 IT 기업으로 성장할 수 있었습니다.

Chapter 2
브랜딩 전략 수립

05 | 목표설정

브랜딩 전략을 수립하기 위해서는 먼저 목표를 설정하는 것이 중요합니다. 목표를 설정하지 않으면, 어떤 방향으로 브랜딩을 해야 할지 알 수 없고, 브랜딩의 효과를 측정하기 어렵기 때문입니다.

브랜딩의 목표는 다음과 같은 것들이 있습니다.

① 인지도 향상: 브랜드를 알리고, 소비자들에게 인식시키는 것을 목표로 할 수 있습니다.

② 신뢰도 향상: 브랜드에 대한 신뢰를 높이는 것을 목표로 할 수 있습니다.

③ 선호도 향상: 브랜드를 선호하는 소비자를 늘리는 것을 목표로 할 수 있습니다.

④ 충성도 향상: 브랜드에 대한 충성도를 높이는 것을 목표로 할 수 있습니다.

1. 목표설정 방법

목표를 설정할 때는 다음과 같은 사항을 고려해야 합니다.

현실성: 목표는 현실적으로 달성 가능한 범위 내에서 설정해야 합니다.

구체성: 목표는 구체적이고 명확하게 설정해야 합니다.

측정 가능성: 목표는 측정 가능해야 합니다. 그래야 목표 달성 여부를 평가할 수 있습니다.

목표를 설정할 때는 다음과 같은 질문을 스스로에게 던져보세요.

- 내 브랜드를 통해 소비자들에게 무엇을 전달하고 싶은가?

- 내 브랜드를 어떻게 인식시키고 싶은가?

- 내 브랜드를 통해 어떤 결과를 얻고 싶은가?

목표를 설정할 때는 이러한 질문에 대한 답을 구체적으로 생각해보고, 그에 맞는 목표를 설정하는 것이 좋습니다.

2. 목표설정 사례

예를 들어, 개인사업으로 커피숍을 운영하는 경우, 다음과 같은 목표를 설정할 수 있습니다.

- 1년 이내에 지역 내에서 인지도를 10% 향상시킨다.

- 3년 이내에 지역 내에서 선호도 1위 커피숍이 된다.

- 5년 이내에 지역 내에서 충성도 1위 커피숍이 된다.

이러한 목표는 현실적이고, 구체적이며, 측정 가능합니다. 또한, 커피숍의 목표와도 잘 맞는 목표입니다.

 3. 브랜드 목표의 측정 방법

브랜드 목표를 측정하기 위해서는 다음과 같은 지표를 활용할 수 있습니다.

① 인지도 : 브랜드 인지도를 측정하기 위해서는 설문조사, SNS 분석, 검색량 분석 등을 활용할 수 있습니다.

설문조사에서 다음과 같은 질문을 통해 브랜드 인지도를 측정할 수 있습니다.

- 브랜드 이름을 들어본 적이 있습니까?

- 브랜드 이름을 들어본 후, 브랜드에 대해 어떤 이미지를 떠올리십니까?

- SNS 분석을 통해 브랜드 인지도를 측정할 수 있습니다. SNS에서 브랜드에 대한 검색량 분석을 통해 브랜드 인지도를 측정할 수 있습니다. Google Trends 등의 도구를 사용하여 브랜드에 대한 검색량을 분석하여 브랜드 인지도를 측정할 수 있습니다.

② 신뢰도 : 브랜드 신뢰도를 측정하기 위해서는 설문조사, 고객 만족도 조사 등을 활용할 수 있습니다.

설문조사에서 다음과 같은 질문을 통해 브랜드 신뢰도를 측정할 수 있습니다.

- 귀하가 생각하는 이 브랜드의 신뢰도는 어느 정도입니까?

- 이 브랜드에 대해 신뢰할 수 있는 이유는 무엇입니까?

고객 만족도 조사에서 다음과 같은 질문을 통해 브랜드 신뢰도를 측정할 수 있습니다.

- 귀하가 이 브랜드의 제품이나 서비스를 다시 구매할 의향이 있습니까?

- 귀하가 이 브랜드의 제품이나 서비스를 다른 사람에게 추천할 의향이 있습니까?

③ 선호도: 브랜드 선호도를 측정하기 위해서는 설문조사, 구매 빈도 분석 등을 활용할 수 있습니다. 설문조사에서 다음과 같은 질문을 통해 브랜드 선호도를 측정할 수 있습니다.

- 귀하가 선호하는 브랜드는 무엇입니까?

- 귀하가 이 브랜드를 선호하는 이유는 무엇입니까?

- 구매 빈도 분석을 통해 브랜드 선호도를 측정할 수 있습니다.

④ 충성도: 브랜드 충성도를 측정하기 위해서는 설문조사, 재구매율 분석 등을 활용할 수 있습니다. 설문조사에서 다음과 같은 질문을 통해 브랜드 충성도를 측정할 수 있습니다.

- 귀하는 이 브랜드의 제품이나 서비스를 얼마나 자주 구매합니까?

- 귀하는 이 브랜드의 제품이나 서비스를 계속해서 구매할 의향이 있습니까?

재구매율을 분석하여 브랜드 충성도를 측정할 수 있습니다.

4. 브랜드 목표의 측정 시 고려 사항

브랜드 목표를 측정할 때는 다음과 같은 사항을 고려해야 합니다.

① 목표에 맞는 지표를 선택하세요.

목표를 달성하기 위해서는 목표에 맞는 지표를 선택해야 합니다. 예를 들어, 인지도를 높이는 것을 목표로 하는 경우, 설문조사, SNS 분석, 검색량 분석 등의 지표를 활용할 수 있습니다.

② 지표를 정기적으로 측정하세요.

목표 달성 여부를 평가하기 위해서는 지표를 정기적으로 측정해야 합니다. 그래야 목표 달성 여부를 정확하게 파악할 수 있습니다.

③ 측정 결과를 분석하여 목표 달성 여부를 평가하세요.

측정 결과를 분석하여 목표 달성 여부를 평가해야 합니다. 그래야 목표 달성을 위한 전략을 수정하거나 조정할 수 있습니다.

브랜드 목표를 측정하는 것은 브랜딩 전략의 성공을 위한 중요한 과정입니다. 목표를 잘 설정하고, 이를 효과적으로 측정함으로써, 브랜드의 성공 가능성을 높일 수 있습니다.

목표를 설정하는 것은 브랜딩 전략 수립의 첫 걸음입니다. 목표를 설정하고 나면, 다음 단계로 브랜드 아이덴티티, 타겟 고객, 커뮤니케이션 전략 등을 수립할 수 있습니다.

06 | 시장분석

1. 시장분석의 중요성

 브랜딩 전략을 수립하기 위해서는 시장을 이해하는 것이 중요합니다. 시장을 이해하지 못하면, 브랜드의 목표와 전략을 제대로 설정할 수 없습니다.

시장분석을 통해 다음과 같은 정보를 얻을 수 있습니다.

- 시장 규모 : 시장의 규모와 성장률을 파악할 수 있습니다.
- 시장 동향 : 시장의 트렌드와 변화를 파악할 수 있습니다.
- 경쟁 상황 : 경쟁 브랜드의 전략과 강점, 약점을 파악할 수 있습니다.
- 타겟 고객 : 타겟 고객의 특성, 요구, 기대를 파악할 수 있습니다.

이러한 정보를 바탕으로, 브랜드의 목표와 전략을 설정하고, 타겟 고객에게 효과적으로 어필할 수 있는 브랜드 아이덴티티와 커뮤니케이션 전략을 수립할 수 있습니다. 또한, 시장분석을 통해 기업은 자신의 장점과 단점, 그리고 기회와 위협(SWOT)을 파악할 수 있습니다.

2. 시장분석 방법

시장분석을 위해서는 다음과 같은 방법을 활용할 수 있습니다.

- 1차 시장조사 : 직접 설문조사, 인터뷰 등을 통해 시장 정보를 수집하는 방법입니다.
- 2차 시장조사 : 이미 수집된 시장 정보를 분석하는 방법입니다.

1차 시장조사는 시장의 최신 정보를 파악하고, 타겟 고객의 목소리를 직접 듣는 데 효과적입니다. 설문조사, 인터뷰, 관찰조사, 포커스 그룹 토론 등의 방법을 활용할 수 있습니다.

2차 시장조사는 시장의 규모, 성장률, 트렌드, 경쟁 상황 등을 파악하는 데 효과적입니다. 정부기관, 시장조사기관, 기업 등이 발간한 보고서, 통계자료, 기사 등을 활용할 수 있습니다.

3. 시장분석 사례

예를 들어, 새로운 화장품 브랜드를 런칭하려는 경우, 다음과 같은 시장분석을 할 수 있습니다.

- 시장 규모 : 화장품 시장의 규모와 성장률을 파악합니다.
- 시장동향 : 화장품 시장의 트렌드와 변화를 파악합니다.
- 경쟁상황 : 경쟁 화장품 브랜드의 전략과 강점, 약점을

파악합니다.

- 타겟고객 : 화장품을 주로 사용하는 고객의 특성, 요구, 기대를 파악합니다.

이러한 시장분석을 통해, 화장품 브랜드의 목표와 전략을 설정할 수 있습니다. 예를 들어, 화장품 시장의 규모가 커지고, 경쟁 화장품 브랜드가 많아지는 추세라면, 타겟 고객을 특정하여 차별화된 전략을 수립할 수 있습니다.

4. 시장분석 TIP

시장분석을 할 때는 다음과 같은 사항을 고려해야 합니다.

① 목표에 맞는 분석을 하세요.

브랜드의 목표에 맞는 시장분석을 해야 합니다.

예를 들어, 인지도를 높이는 것을 목표로 하는 경우, 시장의 규모와 성장률에 대한 분석이 중요합니다.

② 정기적으로 분석을 하세요.

시장은 항상 변화하고 있습니다. 따라서, 정기적으로 시장분석을 통해 최신 정보를 파악해야 합니다.

③ 전문가의 도움을 받으세요.

시장분석은 전문적인 지식과 경험이 필요합니다. 따라서, 필요한 경우 전문가의 도움을 받는 것이 좋습니다. 시장분석은 브랜딩 전략을 수립하기 위한 필수적인 과정입니다. 시장을 이해하고, 이를 바탕으로 전략을 수립함으로써, 브랜드의 성공 가능성을 높일 수 있습니다.

시장분석을 통해 얻은 정보를 바탕으로 다음과 같은 질문을 스스로에게 던져보세요.

- 우리 브랜드의 목표는 무엇인가요?
- 우리 브랜드의 경쟁력은 무엇인가요?
- 우리 브랜드의 타겟 고객은 누구인가요?

이러한 질문에 대한 답을 통해, 브랜드의 방향성과 목표, 전략을 효과석으로 수립하고 구체화 할 수 있습니다.

07 | 경쟁사 분석

1. 경쟁사 분석의 중요성

새로운 브랜드를 런칭하려면, 기존에 시장에서 활동하고 있는 경쟁 브랜드들의 정보를 파악하는 것이 중요합니다. 이를 통해, 경쟁 브랜드들의 강점과 약점, 전략 등을 이해하고, 이를 바탕으로 우리 브랜드의 경쟁력을 강화하고, 성공적인 런칭을 위한 전략을 수립할 수 있습니다. 무엇보다 경쟁사와의 경쟁에서 우위를 점할 수 있습니다.

경쟁사 분석을 통해 어떤 정보를 얻을 수 있을까요?

① 시장 파악: 경쟁사 분석을 통해 시장의 규모, 성장률, 주요 플레이어들의 위치 등을 파악할 수 있습니다. 이를 통해 시장의 특성을 이해하고, 브랜드의 진입 전략을 수립할 수 있습니다.

② 경쟁사의 강점과 약점 파악: 경쟁사의 제품, 서비스, 마케팅 전략 등을 분석하여 경쟁사의 강점과 약점을 파악할 수 있습니다. 이를 통해 경쟁사들과 비교하여 우리 브랜드의 차별화된 가치를 찾고, 경쟁 우위를 확보할 수 있습니다.

③ 시장 동향 파악: 경쟁사 분석은 시장 동향을 파악하는데 도움을 줍니다. 경쟁사들의 신제품 출시, 가격 변동, 마케팅 전략 변화 등을 관찰하여 시장의 흐름을 예측할 수 있습니다. 이를 통해 우리 브랜드의 전략을 조정하고, 적극적으로 시장 변화에 대응할 수 있습니다.

2. 경쟁사 분석 방법

경쟁사 분석은 크게 1차 경쟁사 분석과 2차 경쟁사 분석으로 나눌 수 있습니다.

1차 경쟁사 분석은 직접 경쟁 브랜드의 제품이나 서비스를 사용해보고, 경쟁 브랜드의 홈페이지나 SNS 등을 분석하는 방법입니다. 이를 통해, 경쟁 브랜드의 제품이나 서비스에 대한 직접적인 경험을 통해 정보를 얻을 수 있습니다.

2차 경쟁사 분석은 정부기관, 시장조사기관, 기업 등이 발간한 보고서, 통계자료, 기사 등을 분석하는 방법입니다. 이를 통해, 경쟁 브랜드의 규모, 성장률, 트렌드, 전략 등을 파악할 수 있습니다.

① 1차 경쟁사 분석

1차 경쟁사 분석을 통해 다음과 같은 정보를 얻을 수 있습니다.

- 경쟁 브랜드의 제품이나 서비스의 장점과 단점
- 경쟁 브랜드의 마케팅 전략
- 경쟁 브랜드의 고객층

1차 경쟁사 분석을 할 때는 다음과 같은 사항을 고려해야 합니다. 경쟁 브랜드의 제품이나 서비스에 대한 직접적인 경험을 통해 정보를 얻어야 합니다. 경쟁 브랜드의 마케팅 전략을 통해, 경쟁 브랜드의 타겟 고객층을 파악할 수 있습니다.

- 경쟁사 화장품 제품을 직접 사용해보고, 제품의 사용감, 성분, 디자인, 가격 등을 평가합니다.
- 경쟁사 화장품 브랜드의 홈페이지나 SNS 등을 통해, 경쟁 브랜드의 마케팅 전략을 파악합니다.
- 경쟁사 화장품 브랜드의 고객층을 파악하기 위해, 경

쟁사 화장품 제품을 사용하는 고객들의 리뷰를 분석합니다.

② 2차 경쟁사 분석

2차 경쟁사 분석을 통해 다음과 같은 정보를 얻을 수 있습니다.

- 경쟁 브랜드의 시장 점유율
- 경쟁 브랜드의 재무 상황
- 경쟁 브랜드의 기술력

2차 경쟁사 분석을 할 때는 다음과 같은 사항을 고려해야 합니다.

- 공신력 있는 기관에서 발간한 보고서나 통계자료를 활용해야 합니다.
- 최근 정보를 파악하기 위해, 최신 보고서나 통계자료를 활용해야 합니다.
- 시장조사기관에서 발간한 화장품 시장 보고서를 통해, 경쟁 브랜드의 시장 점유율을 파악합니다.
- 기업 경영 공시 사이트를 통해, 경쟁 브랜드의 재무 상황을 파악합니다.
- 특허청 사이트를 통해, 경쟁 브랜드의 기술력을 파악합니다.

③ 경쟁사 분석 주의사항

경쟁사 분석을 할 때는 다음과 같은 사항에 유의해야 합니다.

- 경쟁사 분석은 상대적인 분석입니다.

- 경쟁사 분석을 통해, 경쟁 브랜드의 강점과 약점을 파악해야 합니다.

- 경쟁사 분석을 통해, 우리 브랜드의 차별화 전략을 수립해야 합니다.

3. 경쟁사 분석 예시

새로운 화장품 브랜드를 런칭하려는 경우, 다음과 같은 질문을 통해 경쟁사 분석을 진행할 수 있습니다.

경쟁사 화장품 제품의 장점과 단점은 무엇인가요?

경쟁사 화장품 브랜드의 마케팅 전략은 무엇인가요?

경쟁사 화장품 브랜드의 고객층은 누구인가요?

경쟁사 화장품 브랜드의 성장 전략은 무엇인가요?

이러한 질문에 대한 답을 통해, 경쟁사 화장품 브랜드의 강점과 약점, 전략 등을 파악할 수 있습니다. 이를 바탕으로, 우리 브랜드의 차별화된 전략을 수립할 수 있습니다.

4. 경쟁사 분석 tip

새로운 브랜드 런칭을 위한 경쟁사 분석을 할 때는 다음과 같은 팁을 참고하세요.

① 경쟁사의 강점과 약점을 정확하게 파악하세요.

경쟁사의 강점과 약점을 정확하게 파악해야, 이를 극복하거나 활용할 수 있는 전략을 수립할 수 있습니다.

② 경쟁사의 전략을 면밀히 분석하세요.

경쟁사의 전략을 면밀히 분석해야, 경쟁에서 우위를 점할 수 있는 전략을 수립할 수 있습니다.

③ 시장의 트렌드를 파악하세요.

시장의 트렌드를 파악해야, 경쟁사보다 앞서 나갈 수 있는 전략을 수립할 수 있습니다.

새로운 비즈니스를 시작하거나 브랜드를 런칭하기 위해서는 경쟁사 분석이 필수적입니다. 경쟁사 분석을 통해 얻은 정보를 바탕으로 제품이나 서비스의 차별화, 마케팅 전략의 차별화, 가격 전략의 차별화 등과 같은 차별화 전략을 수립할 수 있고, 경쟁 브랜드의 강점과 약점, 전략, 시장 트렌드를 파악하여, 브랜드의 목표와 전략을 효과적으로 설정할 수 있습니다.

08 | 타겟 고객 분석

 타겟 고객 분석은 브랜딩 전략 수립에 있어서 매우 중요한 단계입니다. 타겟 고객 분석을 통해 우리 제품이나 서비스를 소비할 가능성이 높은 고객 그룹을 정확히 파악할 수 있습니다. 이를 통해 브랜드 메시지와 마케팅 전략을 효과적으로 구성하고, 고객의 니즈와 요구를 충족시킬 수 있습니다.

 예를 들어, 여성 대학생을 대상으로 하는 의류 브랜드는 다른 연령층의 남성에게 마케팅 자원을 낭비하지 않고도 더 효과적으로 소통할 수 있고, 타겟고객을 정확히 이해하면 그들에게 맞는 메시지와 채널을 선택하여 마케팅이 더 효과적으로 전달됩니다.

1. 타겟 고객 분석의 중요성

타겟 고객 분석은 브랜딩 전략 수립의 핵심이며, 고객 중심의 마케팅과 브랜딩을 위해 필수적인 작업입니다. 정확하고 체계적인 분석을 통해 우리 제품이나 서비스를 소비할 가능성이 높은 타겟 고객을 파악하고, 그들에게 맞춤형 가치를 제공할 수 있습니다.

타겟 고객 분석을 통해 다음과 같은 정보를 얻을 수 있습니다.

① 시장 파악 : 타겟 고객 분석을 통해 시장의 규모와 성장률, 주요 고객 그룹의 특징 등을 파악할 수 있습니다. 이를 통해

시장의 특성을 이해하고, 브랜드의 타겟 시장을 설정할 수 있습니다.

② 고객 니즈 파악 : 타겟 고객 분석은 고객의 니즈와 요구를 파악하는데 도움을 줍니다. 고객의 선호도, 쇼핑 습관, 가치관 등을 분석하여 우리 제품이나 서비스가 어떤 가치를 제공해야 하는지를 파악할 수 있습니다.

③ 경쟁 우위 확보 : 타겟 고객 분석을 통해 경쟁사들과의 차별화된 가치를 찾아낼 수 있습니다. 경쟁사들과의 경쟁에서 우위를 점하기 위해 우리 제품이나 서비스가 어떤 고객 그룹에게 가장 적합한지를 파악할 수 있습니다.

2. 타겟 고객 분석 방법

타겟 고객 분석은 브랜딩 전략 수립의 첫걸음이라고 할 수 있습니다. 타겟 고객을 정확하게 이해해야만 그들에게 맞는 브랜드 이미지와 메시지를 전달할 수 있기 때문입니다.

타겟 고객 분석을 수행하기 위한 절차는 다음과 같이 진행될 수 있습니다.

① 고객 그룹 선정 : 타겟 고객을 선정하기 위해 시장 조사와 데이터 분석을 통해 주요 고객 그룹을 선정합니다. 세분화된 고객 세그먼트를 고려하여 타겟 그룹을 설정합니다.

② 고객 인터뷰 및 설문 조사 : 선정한 타겟 고객 그룹과의 인

터뷰나 설문 조사를 통해 고객의 선호도, 니즈, 요구사항 등을 파악합니다. 직접적인 대화를 통해 고객의 의견을 수집합니다.

③ 경쟁사 분석 : 경쟁사들이 어떤 고객 그룹을 타겟으로 삼고 있는지 분석합니다. 경쟁사들의 타겟 고객 분석 결과를 참고하여 우리의 타겟 고객을 설정합니다.

④ 데이터 분석 : 수집한 데이터를 분석하여 타겟 고객 그룹의 특징을 파악합니다. 고객의 선호도, 구매 패턴, 가치관 등을 분석하여 우리 브랜드가 어떤 가치를 제공해야 하는지를 도출합니다.

⑤ 티겟 고객 프로파일 작성 : 분석 결과를 바탕으로 타겟 고객의 프로파일을 작성합니다. 고객의 특징, 니즈, 가치관, 선호도 등을 상세하게 정리하여 브랜드 전략에 활용할 수 있도록 합니다.

3. 타겟 고객 분석 예시

예를 들어, 가정용 주스 제품을 판매하는 개인사업을 시작한다고 가정해봅시다. 이때 타겟 고객 분석을 통해 우리 주스 제품을 가장 많이 소비할 가능성이 있는 고객 그룹을 파악하고자 합니다.

① 고객 그룹 선정 : 우리 주스 제품을 소비할 가능성이 있는 주요 고객 그룹을 선정합니다. 예를 들어, 건강을 중시하는 20대부터 40대의 여성, 혹은 가족 중에서 자녀의 영양 섭취에 관

심이 있는 부모 등을 타겟으로 설정할 수 있습니다.

② 고객 인터뷰 및 설문 조사 : 선택한 타겟 고객 그룹과의 인터뷰나 설문 조사를 통해 고객의 선호도, 니즈, 요구사항 등을 파악합니다. 예를 들어, 건강을 중시하는 여성들에게 인터뷰를 진행하여 어떤 종류의 주스를 선호하는지, 어떤 영양성분을 중요하게 생각하는지 등을 알아냅니다.

③ 경쟁사 분석 : 주스 시장에서 경쟁사들이 어떤 고객 그룹을 타겟으로 삼고 있는지 분석합니다. 경쟁사들의 주요 고객 그룹과 마케팅 전략을 조사하여 우리의 타겟 고객을 설정합니다.

④ 데이터 분석 : 수집한 인터뷰 및 설문 조사 데이터를 분석하여 타겟 고객 그룹의 특징을 파악합니다. 예를 들어, 건강을 중시하는 여성들이 비타민과 미네랄 함유량이 높은 주스를 선호한다는 것을 알아냅니다.

⑤ 타겟 고객 프로파일 작성 : 분석 결과를 바탕으로 타겟 고객의 프로파일을 작성합니다. 예를 들어, 건강을 중시하는 20대부터 40대의 여성 중에서 비타민과 미네랄 함유량이 높은 주스를 선호하는 그룹으로 타겟 고객을 설정합니다. 이들의 선호하는 맛, 가격 대비 가치, 구매 채널 등을 상세히 정리하여 브랜드 전략에 활용할 수 있도록 합니다.

이러한 프로세스를 통해 우리의 주요 타겟 고객을 파악하고, 그들이 어떤 가치를 중요하게 생각하는지, 니즈에 맞는 맞춤형 마케팅 및 브랜딩 전략을 수립할 수 있습니다 이는 고객과의 강력한 감정적 연결을 만들고, 브랜드 충성도를 높이는 데 중요한 역알을 합니다.

Chapter 3
브랜드 아이덴티티(BI) 개발

09 I BI(Brand Identity)란?

BI(Brand Identity)는 브랜드의 정체성을 뜻합니다. BI는 브랜드가 소비자들에게 전달하고자 하는 가치, 목표, 비전 등을 시각적, 청각적, 감각적 요소를 통해 표현하는 것입니다. 이를 통해 브랜드는 독특하고 구별되는 특징을 가지며, 소비자들에게 강력한 인상을 심어주기 때문에 BI는 브랜드의 성공에 중요한 역할을 합니다.

CI(Corporate Identity)라는 단어와 함께 많이 사용되는데 BI와 CI의 차이점이 무엇일까요?

BI와 CI 모두 기업의 정체성을 나타내는 개념입니다. 그러나 BI는 개별 브랜드의 정체성과 개념을 나타내는 것이며, 특정 제품, 서비스 또는 라인에 대한 아이덴티티를 구성합니다. 반면에 CI는 기업 전체의 정체성과 개념을 나타내는 것으로, 기업 자체의 아이덴티티를 구축합니다. CI는 다수의 브랜드, 제품 또는 서비스를 포괄하는 범위를 가지고 있습니다.

BI는 개별 브랜드의 아이덴티티를 나타내는 것이며, 특정 제품, 서비스 또는 라인에 대한 아이덴티티를 구축합니다. CI는 기업 전체의 아이덴티티를 나타내는 것으로, 기업 자체의 아이덴티티를 구축합니다.

BI는 주로 소비자와의 관계를 중심으로 형성되고, 로고, 컬러 팔레트 등의 시각적 요소로 구성됩니다. CI는 주로 내부 요소와 외부 이해관계자들과의 관계를 중심으로 형성되고, 로고, 컬러 팔레트 외에도 기업의 비전, 가치관, 문화 등 다양한 요소로 구성됩니다.

LG전자와 오브제 컬렉션(Objet Collection)으로 예를 들어 보겠습니다. LG 오브제 컬렉션은 LG전자의 가전제품 브랜드입니다. 오브제 컬렉션은 "자연의 아름다움과 첨단 기술의 조화"라는 핵심 가치를 바탕으로 구축되었습니다. 오브제 컬렉션의 로고, 색상, 디자인은 이러한 핵심 가치를 반영하고 있습니다.

- BI 측면

오브제 컬렉션의 로고는 자연의 아름다움을 상징하는 물결 모양으로 디자인되었습니다. 또한, 오브제 컬렉션의 제품은 화이트, 블랙, 그레이 등 자연에서 볼 수 있는 색상을 사용하고 있습니다. 이러한 시각적 요소들은 오브제 컬렉션의 핵심 가치인 "자연의 아름다움"을 전달하고 있습니다.

- CI 측면

 LG전자의 CI는 "고객의 삶을 더욱 편리하게 하는 기업"이라는 핵심 가치를 바탕으로 구축되었습니다. 오브제 컬렉션은 이러한 핵심 가치를 실현하는 LG전자의 대표적인 브랜드입니다. 오브제 컬렉션은 첨단 기술을 바탕으로, 고객의 삶을 더욱 편리하게 만들고 있습니다.이처럼, LG 오브제 컬렉션은 BI와 CI가 잘 조화를 이루고 있는 브랜드라고 볼 수 있습니다.

 결론적으로 BI는 CI의 일부분으로 볼 수 있고, BI는 기업의 정체성 중에서 브랜드에 해당하는 부분을 의미합니다. 따라서, BI를 효과적으로 구축하기 위해서는 CI를 고려해야 합니다.

10 | BI의 구성 요소

브랜드 아이덴티티 (Brand Identity)는 브랜드를 독특하게 식별하고 소비자에게 전달하고자 하는 개성과 가치를 나타내는데 사용되는 다양한 시각적, 언어적, 체험적인 구성 요소들로 이루어져 있습니다. BI는 크게 핵심 가치, 시각적 요소, 브랜드 경험의 세 가지 요소로 구성됩니다.

① 핵심 가치는 브랜드가 추구하는 가치와 철학을 말합니다. 핵심 가치는 브랜드의 방향성을 제시하고, 브랜드의 차별성을 강화하는 데 중요한 역할을 합니다.

예를 들어 나이키의 'Just Do It'과 같은 슬로건 같이 강력하고 기억에 남는 문구는 소비자에게 브랜드를 기억하게 만듭니다.

② 시각적 요소는 브랜드의 로고, 색상, 서체, 디자인 등을 말합니다. 시각적 요소는 브랜드의 이미지를 전달하는 데 중요한 역할을 합니다.

- 로고: 로고는 브랜드의 시각적인 표식으로서 가장 중요한 요소입니다. 로고는 브랜드의 이름, 기호, 그래픽 요소 등을 포함하여 브랜드를 대표하는 시각적인 표식

입니다. 로고는 브랜드의 개념과 가치를 시각적으로 전달하고 소비자들에게 인식될 수 있도록 도와줍니다.

- 컬러 팔레트: 컬러 팔레트는 브랜드의 시각적인 표현을 위해 사용되는 색상의 집합입니다. 특정한 컬러 조합은 브랜드의 감성과 개성을 나타내며 소비자들에게 특정한 감정과 연관성을 전달할 수 있습니다. 컬러 팔레트는 브랜드의 시각적 일관성을 유지하고 브랜드를 시각적으로 구별할 수 있게 도와줍니다.

- 폰트: 폰트는 브랜드의 글자체를 나타내며, 브랜드의 특성과 개성을 반영하는 역할을 합니다. 특정한 폰트 선택은 브랜드의 성격과 타겟 고객층에 적합한 표현을 가능하게 합니다. 폰트는 브랜드의 시각적인 일관성을 유지하고 브랜드를 식별 가능하게 만들어줍니다.

- 그래픽 요소: 그래픽 요소는 브랜드의 시각적인 표현을 보완하는 요소로서 아이콘, 패턴, 이미지 등을 포함합니다. 이러한 그래픽 요소들은 브랜드의 개념과 가치를 시각적으로 강조하거나 특정한 메시지를 전달하는 역할을 합니다.

③ 브랜드 경험은 고객이 제품이나 서비스 등으로 브랜드와 상호작용하는 과정에서 소비자가 느끼는 경험을 말합니다. 브랜

드 경험에는 제품과 서비스의 품질, 직원의 친절도, 마케팅 커뮤니케이션 등이 포함되며, 브랜드 경험은 브랜드의 감성적 가치를 전달하는 데 중요한 역할을 합니다.브랜드 경험이 우수하면 고객은 브랜드에 대한 호감과 충성도를 높일 수 있습니다.

BI를 효과적으로 구축하기 위해서는 다음과 같은 사항을 고려해야 합니다.

- 브랜드의 목표와 타겟 고객을 명확히 정의합니다. 브랜드의 목표와 타겟 고객을 명확히 정의해야, BI를 효과적으로 구축할 수 있습니다.

- 브랜드의 핵심 가치를 명확히 합니다. 브랜드의 핵심 가치를 명확히 해야, 일관되고 효과적인 BI를 구축할 수 있습니다.

- 시각적 요소를 일관되게 사용합니다. 시각적 요소는 브랜드의 정체성을 나타내는 중요한 요소입니다. 따라서, 시각적 요소를 일관되게 사용해야, 브랜드의 정체성을 효과적으로 전달할 수 있습니다.

- 브랜드 경험을 지속적으로 개선합니다. 브랜드 경험은 브랜드의 감성적 가치를 전달하는 데 중요한 역할을

합니다. 따라서, 브랜드 경험을 지속적으로 개선해야, 고객과 브랜드의 관계를 강화할 수 있습니다.

11 l BI와 디자인의 상관관계

브랜드 아이덴티티 개발과 디자인은 매우 밀접한 관계를 가지고 있습니다. 디자인은 브랜드 아이덴티티를 시각적으로 표현하고 전달하는 도구로 사용됩니다. 이를 통해 브랜드의 개념과 가치를 시각적으로 구현하여 소비자들에게 전달합니다.

브랜드 아이덴티티 개발과 디자인은 서로 보완적인 관계를 가지며, 브랜드의 개념과 가치를 시각적으로 표현하고 전달하는데 함께 작용합니다. 디자인은 브랜드를 시각적으로 인식하고 기억할 수 있도록 도와주며, 브랜드의 신뢰도와 일관성을 유지하는데 기여합니다.

브랜드 아이덴티티 개발과 디자인 간의 관계를 좀 더 자세히 살펴보겠습니다.

1) 시각적 아이덴티티 구축 : 브랜드 아이덴티티 개발은 브랜드의 시각적인 특징을 정의하는 과정입니다. 이때 디자인은 로고, 컬러 팔레트, 폰트, 그래픽 요소 등을 활용하여 브랜드의 시각적 아이덴티티를 구축합니다. 디자인을 통해 브랜드의 개념과

가치를 시각적으로 표현하고, 소비자들에게 인식될 수 있도록 도와줍니다.

2) 브랜드 메시지 전달 : 디자인은 브랜드의 메시지를 시각적으로 전달하는 역할을 합니다. 브랜드가 전달하고자 하는 메시지와 가치를 디자인 요소들을 통해 효과적으로 표현함으로써 소비자들에게 브랜드의 핵심 메시지를 전달할 수 있습니다. 디자인은 로고, 포스터, 광고 등을 통해 브랜드의 메시지를 시각적으로 강조하고 기억에 남을 수 있게 도와줍니다.

3) 브랜드 일관성 유지 : 디자인은 브랜드의 일관성을 유지하는 데 중요한 역할을 합니다. 브랜드 아이덴티티 개발 단계에서 정의한 디자인 요소들을 일관되게 적용함으로써 브랜드의 시각적인 일관성을 유지할 수 있습니다. 이를 통해 소비자들은 브랜드를 인식할 때 일관된 시각적 요소들을 기억하고 브랜드의 신뢰도를 높일 수 있습니다.

4) 브랜드 경험 형성 : 디자인은 브랜드 경험을 형성하는데 중요한 역할을 합니다. 제품 포장, 웹사이트 디자인, 상점 인테리어 등을 통해 소비자들은 브랜드와의 상호작용을 경험하게 됩니다. 이때 디자인은 소비자들에게 브랜드의 개념과 가치를 체감할 수 있는 경험을 제공하여 브랜드에 대한 긍정적인 인상을 심어줍니다.

디자인은 브랜드 아이덴티티를 차별화하는 데 도움이 됩니다.

경쟁 브랜드와 차별화된 디자인을 개발한다면, 브랜드의 경쟁력을 강화할 수 있습니다.

예를 들어, 새로운 의류 브랜드를 런칭한다고 가정해 보겠습니다. 이 브랜드의 브랜드 아이덴티티가 "젊고, 트렌디하며, 유니크한"이라고 한다면, 디자인은 이러한 브랜드 아이덴티티를 효과적으로 전달할 수 있어야 합니다.

이를 위해, 디자인은 다음과 같은 요소들을 고려해야 할 것입니다.

- 젊은 고객층을 타겟으로 하기 때문에, 디자인은 젊고, 세련된 느낌을 주어야 합니다.

- 트렌디한 감각을 추구하기 때문에, 최신 유행을 반영한 디자인을 개발해야 합니다.

- 유니크한 개성을 강조하기 때문에, 독창적인 디자인을 개발해야 합니다.

이러한 요소들을 고려하여 개발된 디자인은 브랜드 아이덴티티를 효과적으로 전달하고, 브랜드의 경쟁력을 강화하는 데 도움이 될 것입니다.

12 | 브랜드 네이밍

브랜드 네이밍은 브랜드 아이덴티티 개발의 첫 번째 단계이자 가장 중요한 단계 중 하나입니다. 브랜드 네임은 브랜드를 구별하고 기억할 수 있도록 하는 이름입니다. 따라서, 브랜드의 정체성과 가치를 잘 표현하고, 타겟 고객에게 호감을 줄 수 있는 네이밍을 해야 합니다.

브랜드 네이밍을 위한 주요 과정은 다음과 같습니다.

① 브랜딩 전략 수립 : 브랜드 네이밍을 시작하기 전에 먼저 브랜딩 전략을 수립해야 합니다. 브랜딩 전략을 통해 브랜드의 목표, 타겟 고객, 브랜드 아이덴티티 등을 정의해야 합니다. 이러한 요소들은 브랜드 네이밍에 중요한 기준이 됩니다.

② 브레인스토밍 : 브랜드 전략을 수립했다면, 브레인스토밍을 통해 다양한 네이밍 아이디어를 도출해야 합니다. 브레인스토밍을 할 때는 자유롭게 아이디어를 내고, 비판이나 평가는 나중에 하는 것이 좋습니다.

③ 선별 및 검토 : 브레인스토밍을 통해 도출된 아이디어 중에서 브랜드의 정체성과 가치를 잘 표현하고, 타겟 고객에게 호감을 줄 수 있는 아이디어를 선별해야 합니다. 선별된 아이디어는 법률적, 상표권 등의 문제는 없는지 검토해야 합니다.

④ 테스트 : 선별 및 검토된 아이디어를 타겟 고객에게 테스트

하여 반응을 살펴봐야 합니다. 테스트를 통해 타겟 고객이 어떤 네이밍을 선호하는지 파악할 수 있습니다.

⑤ 최종 결정 : 테스트 결과를 바탕으로 최종적으로 브랜드 네이밍을 결정해야 합니다. 최종 결정을 할 때는 브랜드의 정체성과 가치를 잘 표현하고, 타겟 고객에게 호감을 줄 수 있는 네이밍인지 확인해야 합니다.

브랜드 네이밍에서 창의성을 발휘하는 것은 중요합니다. 그렇다면 어떻게 창의적인 브랜드 이름을 만들 수 있을까요?

다음의 팁들이 도움이 될 수 있습니다.

- 연관성 있는 단어들 탐색 : 브랜드의 핵심 가치, 제품, 서비스 등과 관련된 단어들을 나열하고, 이들을 조합해 보세요. 이 과정에서 새로운 아이디어를 발견할 수 있습니다.

- 외국어 사용 : 외국어를 사용하여 브랜드의 독특함을 표현할 수 있습니다. 다만, 사용하는 외국어의 의미와 발음, 문화적 측면 등을 반드시 확인해야 합니다.

- 유사어나 반의어를 활용 : 브랜드와 관련된 단어의 유사어나 반의어를 찾아보세요. 이를 통해 예상치 못한 새로운 아이디어를 얻을 수 있습니다.

- 두 단어를 결합 : 두 가지 이상의 단어를 결합하여 새로운 단어를 만들 수 있습니다. 이 방법은 브랜드의

다양한 특성을 한 번에 표현할 수 있습니다.

- 기존 단어의 철자 변형 : 기존 단어의 철자를 약간 변형하여 새로운 단어를 만드는 것도 한 방법입니다. 이는 브랜드의 독특함과 창의성을 표현하는 데 도움이 될 수 있습니다.

- 메타포나 은유 활용 : 브랜드의 가치나 특성을 표현하는 메타포나 은유를 활용해 보세요. 이는 브랜드에 대한 독특하고 강력한 이미지를 만들 수 있습니다.

브랜드 네이밍은 브랜드의 첫인상을 결정짓는 중요한 요소이므로, 충분한 시간을 들여 여러 아이디어를 고려하고, 다양한 방법을 시도해 보는 것이 좋습니다.

브랜드 네이밍을 할 때는 다음과 같은 주의사항을 고려하는 것이 좋습니다.

- 명확성 : 브랜드 이름은 짧고 간결하며, 쉽게 이해하고 기억할 수 있어야 합니다. 너무 복잡하거나 어려운 이름은 피하는 것이 좋습니다.

- 차별성 : 브랜드 이름은 다른 브랜드와 구별될 수 있어야 합니다. 경쟁사의 이름과 비슷하거나, 이미 잘 알려진 이름을 사용하면 혼동을 일으킬 수 있습니다.

- 적합성 : 브랜드 이름은 브랜드의 이미지, 가치, 제품, 서비스 등과 잘 맞아야 합니다. 브랜드 이름만으로도

브랜드의 핵심 가치나 제품의 특성을 추측할 수 있도록 하는 것이 좋습니다.

- 확장성 : 브랜드가 성장하거나 다양한 제품, 서비스를 출시할 경우를 고려하여, 브랜드 이름이 유연하게 확장될 수 있도록 선택하는 것이 중요합니다.

- 법적 문제 : 브랜드 이름이 다른 사람의 상표권을 침해하거나, 법적으로 문제가 될 수 있는 단어를 포함하지 않도록 주의해야 합니다.

이러한 과정과 주의사항을 참고하여 브랜드 네이밍을 진행하면, 브랜드 아이덴티티를 효과적으로 표현하고, 고객의 인식과 기억에 남는 브랜드 이름을 만들 수 있습니다.

13 | 스토리텔링과 미션, 비전, 가치관

브랜드의 스토리텔링은 브랜드의 탄생 배경, 브랜드의 비전, 브랜드의 가치관 등을 감성적으로 전달하는 것입니다. 브랜드의 스토리텔링은 브랜드의 정체성을 형성하고, 고객의 공감과 몰입을 유도하는 데 중요한 역할을 합니다.

브랜드의 스토리텔링은 다음과 같은 요소를 포함합니다.

- 브랜드의 탄생 배경 : 브랜드가 탄생하게 된 계기와 배

경을 이야기합니다.

- 브랜드의 비전 : 브랜드가 이루고자 하는 미래를 이야기합니다.

- 브랜드의 가치관 : 브랜드가 추구하는 가치와 철학을 이야기합니다.

브랜드의 스토리텔링은 다음과 같은 효과를 가져올 수 있습니다.

- 브랜드의 정체성 형성 : 브랜드의 스토리텔링을 통해 브랜드의 정체성을 형성하고, 고객에게 브랜드의 이미지를 각인시킬 수 있습니다.

- 고객의 공감과 몰입 유도 : 브랜드의 스토리텔링을 통해 고객의 공감과 몰입을 유도하고, 브랜드에 대한 호감과 충성도를 높일 수 있습니다.

- 브랜드의 차별성 강화 : 브랜드의 스토리텔링을 통해 브랜드의 차별성을 강화하고, 경쟁 브랜드와의 경쟁력을 높일 수 있습니다.

브랜드의 스토리텔링을 효과적으로 만들기 위해서는 다음과 같은 사항을 고려해야 합니다.

- 브랜드의 목표와 타겟 고객을 이해합니다. 브랜드의 스토리텔링은 브랜드의 목표와 타겟 고객을 기반으로 만

들어집니다. 따라서, 먼저 브랜드의 목표와 타겟 고객을 이해해야 합니다.

- 브랜드의 핵심 가치를 정의합니다. 브랜드의 스토리텔링은 브랜드의 핵심 가치를 기반으로 만들어집니다. 따라서, 먼저 브랜드의 핵심 가치를 정의해야 합니다.

- 감성적인 스토리를 구성합니다. 고객의 감성과 공감을 이끌어낼 수 있는 감성적인 스토리를 구성해야 합니다.

- 구체적인 사례를 활용합니다. 브랜드의 가치관을 구체적인 사례와 함께 전달하면 고객이 브랜드의 가치를 더 쉽게 이해할 수 있습니다.

- 일관된 메시지를 전달합니다. 브랜드의 스토리텔링은 브랜드의 핵심 가치를 효과적으로 전달하는 데 목적이 있습니다. 따라서, 브랜드의 모든 커뮤니케이션에서 일관된 메시지를 전달해야 합니다.

브랜드의 스토리텔링은 브랜드의 성공에 중요한 역할을 합니다. 효과적인 브랜드의 스토리텔링을 통해 브랜드의 정체성을 형성하고, 고객의 공감과 몰입을 유도하고, 브랜드의 차별성을 강화할 수 있습니다.

브랜드의 미션, 비전, 가치관은 브랜드의 핵심 원칙과 목표를 정의하는 요소입니다. 각각의 개념은 브랜드의 방향성과 가치를 명확히 하고, 내부와 외부 이해관계자들에게 전달하는 역할을 합니다.

아래에서 각 개념을 자세히 설명하고, 어떻게 정할 수 있는지 알아보겠습니다.

① 미션(Mission)

- 미션은 브랜드의 핵심 목표와 가치를 담은 문장으로, 브랜드의 존재 이유와 브랜드가 추구하는 목표를 나타냅니다.

- 미션은 브랜드의 고객에게 제공하는 가치와 소비자들에게 어떤 변화나 혜택을 주는지를 명확하게 전달합니다.

- 미션은 브랜드의 고유성과 차별화 요소를 강조하며, 브랜드가 어떤 문제를 해결하고자 하는지를 명시합니다.

- 미션은 브랜드의 핵심 메시지를 간결하게 표현하여 내부 구성원과 외부 이해관계자들에게 일관성 있는 방향을 제시합니다.

② 비전(Vision)

- 비전은 브랜드가 향해 나아가고자 하는 목표와 비전을 설정하는 것입니다.

- 비전은 브랜드의 장기적인 목표와 성공을 달성하기 위한 염원을 담고 있습니다.

- 비전은 미래의 상상력과 창의력을 기반으로 브랜드가 이루고자 하는 성공적인 모습을 기술합니다.

- 비전은 브랜드의 진보와 혁신을 향한 열망을 나타내며, 내부 구성원과 외부 이해관계자들에게 브랜드의 목표와 방향을 제시합니다.

③ 가치관(Values)

- 가치관은 브랜드의 핵심 가치와 원칙을 명확하게 정의하는 것입니다.

- 가치관은 브랜드의 행동과 의사결정에 영향을 미치는 중요한 요소입니다.

- 가치관은 브랜드의 윤리적인 원칙과 사회적 책임, 고객 서비스, 혁신 등을 나타내며, 브랜드의 문화와 동기 부여에 영향을 줍니다.

- 가치관은 브랜드가 소비자들에게 전달하는 가치와 브랜드의 특징을 나타내며, 내부 구성원과 외부 이해관계자들에게 브랜드의 가치를 전달합니다

이러한 미션, 비전, 가치관을 정하는 방법은 다음과 같습니다.

① 내부 조직과 리더십의 참여 : 미션, 비전, 가치관을 정하는 과정에는 내부 구성원들과 리더십의 참여와 의견 수렴이 필요합니다. 조직 내부에서 의견을 나누고, 공동의 목표와 가치를 찾아내는 것이 중요합니다.

② 외부 조사와 시장 분석 : 외부 조사와 시장 분석을 통해 경쟁사, 타겟 고객, 트렌드 등에 대한 정보를 수집합니다. 이를 통해 브랜드의 차별화 요소와 가치를 파악하고, 소비자들의 니즈와 요구사항을 이해합니다.

③ 브랜드 DNA와 핵심 가치 파악 : 브랜드의 고유한 특징과 차별화 요소, 핵심 가치를 파악합니다. 브랜드가 어떤 가치를 제공하고자 하는지, 어떤 문제를 해결하고자 하는지를 명확히 정의합니다.

④ 창의적인 아이디어 발굴과 실험 : 다양한 아이디어를 발굴하고 실험해봄으로써 미션, 비전, 가치관을 구체화할 수 있습니다. 그리고 이러한 아이디어와 실험을 통해 브랜드의 핵심 메시지와 가치를 테스트하고 강화할 수 있습니다.

⑤ 명확하고 간결한 표현 : 미션, 비전, 가치관을 간결하고 명확하게 표현하는 것이 중요합니다. 이는 내부 구성원들과 외부 이해관계자들에게 브랜드의 방향과 가치를 전달하는 역할을 합니다.

브랜드의 미션, 비전, 가치관은 브랜드의 핵심 원칙과 방향성을 제시합니다. 이를 통해 브랜드는 내부 구성원들과 외부 이해관계자들에게 일관성 있는 메시지와 가치를 전달하며, 브랜드의 성장과 성공을 이끌어갈 수 있습니다.

Chapter 4
시각적 아이덴티티 개발

시각적 아이덴티티 개발은 브랜드가 소비자들에게 전달하고자 하는 메시지와 브랜드의 정체성을 시각적으로 표현하는 과정을 의미합니다. 로고, 컬러, 타이포그래피, 그래픽 요소, 패턴, 아이콘, 마스코트 등 다양한 시각적 요소를 통해 브랜드의 정체성을 표현하며 브랜드의 가치, 이미지, 메시지 등을 효과적으로 전달합니다. 이를 통해 제품이나 서비스를 식별하고 소비자와 브랜드와의 감정적인 연결을 형성하는 역할을 하며, 브랜드가 강력하고 일관된 인상을 남겨 경쟁 시장에서 돋보이게 만들어

줍니다.

시각적 아이덴티티는 브랜딩에 다음과 같은 역할을 합니다.

① 일관성 및 인지도 제고

시각적 아이덴티티는 브랜드의 일관성을 유지하고 인지도를 제고하는 데 도움이 됩니다. 일관된 로고, 컬러 팔레트, 타이포그래피를 사용함으로써 브랜드 메시지와 이미지가 일관되게 전달됩니다. 이는 고객들에게 브랜드의 신뢰성과 안정성을 느끼게 하며, 브랜드의 시각적 요소들은 고객의 기억에 쉽게 남아 브랜드에 대한 인지도를 높입니다.

고객들이 브랜드를 일관된 시각적인 요소로 인식할 경우, 브랜드와의 관련성을 더욱 깊게 느끼게 됩니다. 예를 들어, 에르메스의 주황색, 애플의 사과처럼 독특한 로고나 컬러를 가진 브랜드는 고객의 기억에 쉽게 남아 브랜드에 대한 인지도를 높이는 데 도움이 됩니다.

② 차별화 및 경쟁력 강화

시각적 아이덴티티 개발을 통해 브랜드는 독특하고 인식도가 높은 시각적인 표현을 갖게 됩니다. 시각적인 인상이 강하고 기억에 남는 브랜드는 고객들에게 긍정적인 인식을 심어주고 선택의 기준이 될 수 있습니다. 이를 통해 강력한 시각적 아이덴티티는 브랜드의 차별화 요소가 되어 경쟁사와의 경쟁에서 브랜드를 더욱 돋보이게 하고 고객에게 독특한 가치를 전달할 수 있습니다.

예를 들어, 친환경적인 브랜드라면 친환경적인 컬러, 그래픽 요소 등을 활용한 시각적 아이덴티티를 개발함으로써 경쟁사와 차별화된 브랜드 이미지를 구축할 수 있습니다.

③ 브랜드 신뢰도 향상

시각적 아이덴티티는 브랜드의 신뢰도를 향상하는 데 도움이 됩니다. 브랜드의 가치와 목표를 반영하는 시각적 요소를 사용하는 것이 중요하며, 전문적이고 세련된 디자인은 브랜드에 대한 전문성과 품질을 전달 할 수 있습니다. 일관되고 신뢰할 수 있는 시각적 아이덴티티를 통해 고객들은 브랜드의 전문성을 시각적인 요소들을 통해 인지하고 이를 바탕으로 브랜드에 대한 신뢰를 높일 수 있습니다.

예를 들어, 한 고급 패션 브랜드는 검은색, 금색, 실버 등의 고급스러운 컬러와 세련된 타이포그래피를 활용한 시각적 아이덴티티를 개발했습니다. 이러한 시각적 아이덴티티는 고객에게 브랜드의 고급스러운 이미지를 전달하고, 이를 통해 브랜드에 대한 신뢰를 형성하는 데 도움이 되었습니다.

따라서, 브랜드의 성공을 위해서는 브랜드의 정체성을 효과적으로 전달하고, 경쟁사와 차별화된 브랜드 이미지를 구축할 수 있는 시각적 아이덴티티를 개발하는 것이 중요합니다.

로고, 컬러, 타이포그래피, 그래픽 요소, 패턴, 아이콘, 마스코트 등 다양한 시각적 요소 중 가장 중요한 몇 가지를 자세히 살펴보겠습니다.

14 | 로고 디자인

로고는 기업, 브랜드, 조직 또는 제품을 대표하는 시각적인 식별 요소입니다. 로고는 그래픽, 타이포그래피, 색상 등의 요소를 조합하여 독특하고 인식하기 쉬운 형태로 디자인됩니다. 로고는 브랜드의 가치와 메시지를 시각적으로 전달하며, 고객들에게 브랜드를 식별하고 기억할 수 있는 도구로 활용됩니다.

1. 로고디자인 종류

일반적으로 기업이나 브랜드에서 많이 사용하는 로고의 종류는 다음과 같습니다.

① 로고 마크(Monogram) : 로고 마크는 브랜드의 약어나 이니셜을 형상화하여 표현한 로고입니다. 글자를 그래픽 요소로 조합하여 로고를 디자인합니다. 예를 들어, Louis Vuitton의 로고는 "LV"라는 이니셜을 조합하여 로고 마크로 디자인 되었습니다.

② 심볼(Simbol)형 로고 : 심볼형 로고는 로고 마크가 독립적인 그래픽 요소로 구성되어 있는 로고입니다. 이 로고는 텍스트나 알파벳의 사용 없이, 간결하고 인식하기 쉬운 그래픽 요소로 브랜드를 대표합니다.

로고 마크는 브랜드의 식별성과 강력한 인식을 위해 주로 사용됩니다. 예시) Nike, Apple, 벤츠

③ 워드마크(Wordmark)형 로고 : 워드마크는 브랜드의 이름, 약어 또는 이니셜을 시각적으로 표현한 로고입니다. 로고에 텍스트가 주를 이루며, 글자의 폰트, 스타일, 배치 등이 로고의 특징을 나타냅니다. 예를 들어, Coca-Cola의 로고는 브랜드 이름을 독특하게 표현한 워드마크입니다.

④ 조합형 로고(Combination Mark) : 조합 로고는 워드마크와 로고 마크를 결합한 형태로, 브랜드의 이름과 시각적 요소를 함께 표현합니다. 로고 마크와 워드마크가 함께 사용되어 브랜드를 식별하는데 도움을 줍니다.

예를 들어, Adidas의 로고는 워드마크와 세 개의 선으로 이루어진 로고 마크를 결합한 형태입니다.

⑤ 엠블럼(Emblem)형 로고 : 엠블럼형 로고는 로고 마크와 워드마크가 하나로 통합된 형태로, 전통적이고 고급스러운 느낌을 주는 로고입니다. 로고 마크와 워드마크가 함께 사용되어 브랜드를 식별하는데 도움을 줍니다. 이 로고는 주로 조직, 기관, 스포츠 팀 등에서 사용됩니다.

※ 이미지 출처 : 위키백과

⑥ 캐릭터 로고 : 캐릭터 로고는 사람이나 동물, 사물 등과 같은 캐릭터를 활용한 로고입니다. 캐릭터형 로고는 브랜드의 친근하고 친숙한 이미지를 강조하는데 효과적입니다.

이 로고는 독특한 캐릭터를 통해 브랜드의 개성, 가치, 메시지를 시각적으로 전달하며, 고객들에게 강한 인상을 남깁니다.

예시) KFC, 헬로키티

※ 이미지 출처 : 나무위키 / 산리오 공식 홈페이지

로고는 브랜드를 식별하고 구별할 수 있는 시각적인 요소로서 중요한 역할을 합니다. 로고를 디자인할 때 브랜드의 정체성과 가치를 잘 표현하고, 인지도가 높으며, 차별화된 로고를 만드는 데 집중해야 합니다. 로고의 종류는 브랜드의 특성과 목적에 맞게 선택하고, 로고 디자인의 과정에서 브랜드의 가치와 메시지를 효과적으로 전달할 수 있도록 고려해야 합니다.

2. 로고디자인 개발 프로세스

로고 개발은 브랜드의 시각적 아이덴티티를 형성하는 중요한 과정입니다. 아래의 프로세스를 참고하여, 새로운 브랜드의 로고를 개발하고 효과적으로 시각적 아이덴티티를 구축할 수 있습니다.

① 브랜드 탐색과 전략 : 로고 개발 과정은 브랜드의 탐색과 전략 수립으로 시작합니다. 브랜드의 가치, 목표, 대상 고객층, 경쟁 환경 등을 분석하고, 로고가 전달해야 할 메시지와 감성을 정의합니다.

② 아이디어 도출 : 브랜드의 탐색과 전략을 바탕으로 다양한 아이디어를 도출합니다. 이를 위해 스케치, 마인드맵, 브레인스토밍 등의 창의적인 방법을 활용합니다. 다양한 아이디어를 탐구하며 로고의 형태, 색상, 그래픽 요소 등을 고려합니다.

③ 디자인 개발 : 아이디어를 바탕으로 선정한 몇 가지 디자인 방향을 세부적으로 발전시킵니다. 디자인 소프트웨어를 사용하

여 로고를 디자인하고, 적절한 폰트, 컬러 팔레트, 비율 등을 조합하여 시각적인 표현을 완성합니다.

④ 피드백과 보완 : 완성된 로고 디자인을 관련 이해 관계자들과 공유하고, 피드백을 수렴합니다. 이를 통해 로고의 개선과 보완을 진행하며, 브랜드의 전략과 목표에 부합하는 최종 디자인을 결정합니다.

⑤ 로고 가이드라인 개발 : 로고 디자인이 완성되면, 로고를 일관되게 사용하기 위한 가이드라인을 개발합니다. 로고의 크기, 색상, 배치 등의 규칙을 명시하여 일관성을 유지하고, 다양한 매체에서 로고를 효과적으로 활용할 수 있도록 지침을 제공합니다.

로고 개발 프로세스는 일반적인 가이드라인이며, 프로젝트의 복잡성과 요구사항에 따라 다를 수 있습니다. 중요한 점은 클라이언트와의 원활한 커뮤니케이션 디자이너의 창의성과 전문성을 통해 브랜드에 적합하고 독특한 로고를 개발하는 것입니다.

3. 로고디자인 개발 TIP

브랜드 로고를 개발할 때는 다음과 같은 사항을 고려합니다.

- 브랜드의 미션과 비전 : 브랜드가 추구하는 목표와 가치는 로고를 통해 표현되어야 합니다.

- 타겟 고객 : 로고는 타겟 고객에게 호감과 기억에 남을 수 있어야 합니다.

- 경쟁사 : 경쟁사와 차별화된 로고를 개발해야 합니다.

예를 들어, 고급스러움을 추구하는 브랜드라면, 고급스러운 느낌을 주는 로고를 개발하는 것이 좋습니다. 젊은층을 타겟으로 하는 브랜드라면, 젊은층에게 호감과 기억에 남는 로고를 개발하는 것이 좋습니다.

경쟁이 치열한 분야의 브랜드라면, 경쟁사와 차별화된 로고를 개발하는 것이 좋습니다.

<타겟 고객에게 호감과 기억에 남는 로고>

브랜드 로고는 타겟 고객에게 호감과 기억에 남을 수 있어야 합니다. 로고가 호감과 기억에 남지 않는다면, 브랜드의 이미지를 효과적으로 전달하기 어렵습니다.

로고가 호감과 기억에 남기 위해서는 다음과 같은 사항을 고려합니다.

- 단순하고 명확한 디자인 : 복잡한 디자인은 기억하기 어렵습니다.

- 기억에 남는 색상 : 색상은 로고의 인상에 큰 영향을 미칩니다.

- 친근하고 친숙한 이미지 : 친근하고 친숙한 이미지는

호감도를 높입니다.

예를 들어, 디즈니의 로고는 친근하고 친숙한 이미지로 전 세계적으로 사랑받고 있습니다. 스타벅스의 로고는 단순하고 명확한 디자인으로 기억하기 쉽습니다. 코카콜라의 로고는 기억에 남는 색상으로 인지도를 높였습니다.

<시각적으로 단순하고 가독성 좋은 로고>

로고는 시각적으로 단순하고 가독성이 좋아야 합니다.

복잡한 디자인은 기억하기 어렵고, 가독성이 떨어지는 로고는 브랜드의 이미지를 효과적으로 전달하기 어렵습니다.

로고가 시각적으로 단순하고 가독성이 좋기 위해서는 다음과 같은 사항을 고려합니다.

- 과하지 않은 디자인 : 과한 디자인은 시각적으로 혼란을 줄 수 있습니다.
- 균형 잡힌 디자인 : 균형 잡힌 디자인은 안정감과 신뢰감을 줄 수 있습니다.
- 가독성 좋은 글꼴: 가독성 좋은 글꼴은 로고의 정보를 쉽게 전달할 수 있습니다.

예를 들어, 애플의 로고는 단순하고 균형 잡힌 디자인으로 시각적으로 안정감을 줍니다. 나이키의 로고는 가독성 좋은 글꼴을 사용하여 정보를 쉽게 전달합니다.

< 다양한 용도에 활용할 수 있는 로고 >

 로고는 다양한 용도에 활용될 수 있습니다. 따라서, 다양한 용도에 활용할 수 있는 로고를 개발하는 것이 중요합니다.

로고가 다양한 용도에 활용될 수 있기 위해서는 다음과 같은 사항을 고려합니다.

- 크기에 구애받지 않는 디자인 : 작은 크기에서도 잘 보이는 디자인이어야 합니다.

- 색상에 구애받지 않는 디자인 : 다양한 색상 조합에도 잘 어울리는 디자인이어야 합니다.

- 공간에 구애받지 않는 디자인 : 다양한 공간에 잘 어울리는 디자인이어야 합니다.

 예를 들어, 구글의 로고는 크기에 구애받지 않는 디자인으로 다양한 용도에 활용되고 있습니다. 마이크로소프트의 로고는 색상에 구애받지 않는 디자인으로 다양한 색상 조합에도 잘 어울립니다. 페이스북의 로고는 공간에 구애받지 않는 디자인으로 다양한 공간에 잘 어울립니다.

4. 로고 개발 방법

로고 개발 방법은 크게 내부 개발과 외주 개발로 나눌 수 있습니다.

① 내부 개발 : 브랜드의 자체 디자인팀이나 직원이 로고를 개발하는 방법

장 점	단 점
- 브랜드의 정체성과 가치를 가장 잘 이해하는 사람이 개발하기 때문에, 브랜드의 일관성을 높일 수 있음 - 예산을 절감할 수 있음	- 디자인 경험과 노하우가 부족할 경우, 창의적이고 차별화된 로고를 개발하기 어려울 수 있음 - 개발 기간이 오래 걸릴 수 있음

② 외주 개발 : 전문 디자이너에게 로고 개발을 맡기는 방법

장 점	단 점
- 다양한 디자인 경험과 노하우를 가진 전문가가 개발하기 때문에, 창의적이고 차별화된 로고를 개발할 수 있음 - 개발 기간이 단축될 수 있음	- 브랜드의 정체성과 가치를 충분히 이해하지 못하여, 브랜드와의 일관성이 떨어질 수 있음 - 브랜드의 예산이 증가할 수 있음

5. 로고 개발 방법 선택 시 고려사항

로고 개발 방법을 선택할 때는 다음과 같은 사항을 고려하는 것이 좋습니다.

- 브랜드의 예산 : 외주 개발은 내부 개발에 비해 비용이 많이 들 수 있습니다. 따라서, 브랜드의 예산을 고려하여 개발 방법을 선택해야 합니다.

- 브랜드의 디자인 역량 : 브랜드의 자체 디자인팀이나 직원이 디자인 경험과 노하우가 충분한 경우, 내부 개발을 고려할 수 있습니다.
반면, 디자인 경험과 노하우가 부족한 경우, 외주 개발을 고려하는 것이 좋습니다.

- 브랜드의 개발 기간 : 개발 기간이 빠르게 필요한 경우, 외주 개발을 고려할 수 있습니다.
반면, 개발 기간이 여유로운 경우, 내부 개발을 고려하는 것이 좋습니다.

결론적으로, 로고 개발 방법은 브랜드의 예산이나 추구하는 컨셉, 상황 등에 따라 적합한 방법을 선택하는 것이 중요합니다.

15 | 브랜드 컬러

 브랜드 컬러는 브랜드의 시각적인 특징을 나타내는 색상의 조합을 말합니다. 브랜드의 컬러는 로고, 웹사이트, 제품 포장 등 시각적인 요소에 적용되어 브랜드의 정체성과 메시지를 시각적으로 전달하는 역할을 합니다.

 이는 브랜드의 인식과 기억에 큰 영향을 미치고, 고객들에게 강한 인상을 심어줍니다.

브랜드 컬러가 중요한 이유는 다음과 같이 설명할 수 있습니다.

① 브랜드 식별성 강화 : 브랜드 컬러는 브랜드를 독특하게 식별할 수 있는 요소입니다. 일관된 컬러를 사용함으로써 브랜드를 쉽게 구별하고 기억할 수 있으며, 경쟁사와의 차별화를 도모할 수 있습니다.

② 감정과 연결고리 형성 : 컬러는 사람들의 감정과 연관성이 깊습니다. 특정 컬러는 특정 감정을 불러일으키고, 사용자들과의 감정적인 연결고리를 형성할 수 있습니다. 이는 브랜드와 고객 간의 심리적인 연결을 강화시켜 신뢰와 호감을 얻을 수 있습니다.

③ 메시지 전달과 가치 표현 : 브랜드 컬러는 브랜드의 메시지와 가치를 시각적으로 전달하는 역할을 합니다.

특정 컬러는 특정 가치나 메시지와 연결될 수 있으며, 브랜드의 정체성과 목표를 시각적으로 표현할 수 있습니다.

④ 일관성과 인식 증진 : 일관된 브랜드 컬러는 브랜드의 시각적인 일관성을 유지하는 데 도움을 줍니다. 일관성 있는 컬러 사용은 브랜드 인식을 증진시키고, 고객들이 브랜드를 더 잘 기억하고 인지할 수 있도록 도와줍니다.

⑤ 시장에서의 경쟁 우위 : 적절하고 효과적인 브랜드 컬러 선택은 시장에서의 경쟁 우위를 얻을 수 있는 중요한 요소입니다. 강렬하고 독특한 컬러를 선택함으로써 경쟁사와의 차별화를 이룰 수 있으며, 고객들에게 강한 인상을 심어줄 수 있습니다.

 브랜드 컬러는 브랜드의 시각적인 인상을 형성하고, 브랜드와 고객 간의 감정적인 연결을 강화시키는 역할을 합니다.

 따라서 브랜드 컬러의 선택과 관리는 브랜딩 전략의 중요한 요소로 고려되어야 합니다.

1. 컬러를 효과적으로 활용하고 있는 브랜드

브랜드 컬러가 직관적으로 떠오르는 브랜드는 다음과 같은 특징을 가지고 있습니다.

- 컬러를 마케팅에 효과적으로 활용한다.

- 컬러를 일관되게 사용한다.

- 브랜드의 가치와 이미지를 잘 반영하는 컬러를 사용한다.

　이러한 특징을 가진 브랜드들은 각자의 브랜드 컬러를 효과적으로 활용하여 브랜드의 정체성과 메시지를 시각적으로 전달하고, 강력한 브랜드 이미지 구축을 하고 있습니다.

예시1) Coca-Cola : Coca-Cola는 레드 컬러를 브랜드의 아이덴티티로 굳게 정립한 대표적인 예시입니다. 레드 컬러는 열정, 에너지, 강도와 같은 감정을 불러일으키는 효과가 있으며, Coca-Cola의 레드 컬러는 상징적으로 인식됩니다.

　※ 이미지 출처 : 코라콜라 공식 홈페이지

예시2) Tiffany & Co. : Tiffany & Co.는 티파니 블루라고 불리는 푸른 컬러를 브랜드의 상징으로 사용하고 있습니다. 고급스러움, 우아함, 신뢰를 상징하며, 고객들에게 특별한 경험과 럭셔리함을 전달합니다.

예시3) FedEx : FedEx는 보라색과 주황색을 주요 컬러로 사용하여 활기차고 현대적인 이미지를 전달하며, 물류/운송 서비스의 신속성 및 신뢰성을 상징합니다.

※ 이미지 출처 : Tiffany & Co. / FEDEX 공식 홈페이지

이러한 브랜드들은 각자의 브랜드 컬러를 효과적으로 활용함으로써 브랜드의 정체성을 강조하고 고객들에게 강한 인상을 심어줍니다. 이와 같은 성공적인 브랜드들의 사례를 참고하여 브랜드 컬러를 선택하고 활용함으로써 브랜드의 시각적인 인상과 고객들과의 연결을 강화할 수 있습니다.

2. 브랜드 컬러 결정 프로세스

브랜드 컬러는 브랜드의 정체성과 가치를 시각적으로 표현하는 중요한 요소입니다. 따라서 임의로 마음에 드는 색상을 선택하는 것보다는 몇 가지 중요한 고려 사항을 고려하는 것이 좋습니다. 아래의 프로세스에 따라 브랜드 컬러를 선택하는 것이 좋습니다.

① 브랜드 정체성 및 가치 파악 : 우선, 브랜드가 전달하고자 하는 메시지, 가치, 그리고 고객과의 연결고리를 명확하게 파악해야 합니다. 브랜드가 어떤 감성, 이미지, 분위기를 전달하고자 하는지를 고려하여 이를 바탕으로 브랜드의 정체성을 반영하는 적합한 컬러를 선택할 수 있습니다.예를 들어, '도전과 열정'을 브랜드 가치로 하는 브랜드라면 빨간색과 같은 강렬한 색상을 선택하는 것이 좋습니다.

② 타겟 시장과 경쟁사 분석: 브랜드가 목표로 하는 타겟 시장의 소비자 취향, 문화적 배경, 선호도를 분석하여 어떤 컬러가 해당 시장에서 효과적으로 작용하는지 파악해야 합니다.

또한 주요 경쟁사들의 브랜드 컬러를 분석하고 비교하여 경쟁사와 차별화되는 독특한 컬러를 선택하여 브랜드의 시각적인 식별성을 강화합니다.

③ 컬러 심리 연구 : 컬러는 각각 고유한 심리적 효과를 가지고 있습니다. 컬러는 감정과 연관성이 깊기 때문에 브랜드가 원하는 감성과 메시지를 전달하기 위해 적합한 컬러를 선택해야 합니다.

예를 들어, 파란색은 신뢰와 안정성을 상징하고, 빨간색은 열정과 에너지를, 녹색은 자연과 생명력을 상징합니다. 따라서 브랜드 컬러를 선택할 때는 이러한 컬러 심리를 고려하여 브랜드가 전달하고자 하는 메시지나 정체성에 어울리는 컬러를 선택해야 합니다. 컬러와 심리의 연관성에 대해서는 뒷부분에 더 상세히 다루도록 하겠습니다.

④ 시각적 일관성과 조화 : 브랜드 컬러는 로고, 웹사이트, 패키지 등 브랜드의 시각적 요소와 일관성을 유지해야 합니다. 컬러 팔레트는 다양한 디자인 요소와 조화롭게 어울려야 하며, 일관된 브랜드 이미지를 구축하는 데 도움이 되어야 합니다.

또한 브랜드 컬러는 단일 컬러로만 사용되는 경우는 드뭅니다. 보통 두 개 이상의 컬러를 조합하여 사용합니다. 따라서 브랜드 컬러를 선택할 때는 컬러의 조화가 잘 이루어지는지 확인해야 합니다.

⑤ 테스트와 피드백 : 후보 컬러를 선정한 후 테스트를 통해 대상 고객이나 관계자들의 반응을 측정하고 피드백을 수집하는 것이 좋습니다. 테스트와 피드백을 통해 브랜드 컬러의 효과를 확인하고 필요에 따라 수정할 수 있습니다.

⑥ 브랜드 컬러 적용 : 결정된 브랜드 컬러를 로고, 패키지, 마케팅 자료 등 브랜드의 모든 시각적인 요소에 일관되게 적용합니다. 이를 통해 브랜드의 일관성과 시각적인 인식을 구축합니다.

브랜드 컬러를 결정하는 프로세스는 브랜드의 고유한 특성과 시장 환경에 따라 다를 수 있습니다. 이러한 프로세스를 통해 정확하고 일관된 브랜드 컬러를 선택하면, 브랜드의 시각적인 인상을 강화하고 고객들에게 강력한 메시지를 전달할 수 있습니다.

3. 브랜드 컬러의 심리적 효과

컬러는 각각 고유한 심리적 효과를 가지고 있기 때문에 브랜드 컬러는 소비자에게 심리적인 영향을 미칠 수 있고 이는 브랜드의 인상과 메시지 전달에 큰 영향을 미칩니다. 심리적 효과는 문화와 개인의 경험에 따라 다를 수 있지만, 일반적으로 브랜드 컬러에 자주 사용되는 색상들과 그 색상이 상징하는 이미지와 의미는 다음과 같습니다.

① 빨간색 : 빨간색은 활기, 열정, 에너지와 관련된 강한 심리적

효과가 있습니다. 이 색상은 주목를 끌고, 동적이며, 강렬한 인상과 활기를 전달합니다. 빨간색은 소비자들에게 상품이나 브랜드의 열정과 자신감을 전달하는 데 사용될 수 있으며, 행동을 유도하는 효과가 있습니다. 예를 들어, Coca-Cola는 빨간색을 사용하여 활기찬 이미지와 자신감을 전달합니다.

② 파란색 : 파란색은 신뢰, 안정, 신선함, 평온 등과 관련된 심리적 효과를 가지고 있습니다. 이 색상은 신뢰성과 전문성을 상징하며, 소비자들에게 안정감과 신뢰감을 전달하는 데 사용될 수 있습니다. 금융, 기술, 의료 등의 산업에서 많이 사용되며, 집중력과 창의성을 촉진할 수 있습니다. 상징적인 브랜드로는 IBM, 삼성전자 등이 있습니다.

③ 노란색 : 노란색은 활기, 쾌활함, 밝은 에너지, 활발함과 관련된 심리적 효과를 가지고 있습니다. 이 색상은 긍정적인 에너지와 행복감을 전달하며, 소비자들에게 밝은 분위기와 쾌적한 경험을 제공하는 데 사용될 수 있습니다. 노란색은 창의성과 활동성을 촉진하고, 주목을 끌 수 있습니다. 음식, 여행, 엔터테인먼트 산업에서 많이 사용되며, 상징적인 브랜드로는 카카오, IKEA 등이 있습니다.

④ 초록색 : 초록색은 자연, 환경, 건강, 안정, 성장과 관련된 심리적 효과를 가지고 있습니다. 이 색상은 안정감과 평온함을 전달하며, 환경 친화적인 이미지와 건강을 상징하는 데 사용될 수 있습니다. 초록색은 자연과 지속 가능성에 대한 관심을 일

깨워줄 수 있으며, 음식, 건강, 환경 관련 브랜드에서 많이 사용됩니다. 예를 들어, Starbucks는 초록색을 사용하여 자연과 지속가능성을 강조합니다.

⑤ 오렌지색 : 오렌지색은 따뜻함, 친근함, 활기와 관련된 심리적 효과를 가지고 있습니다. 이 색상은 긍정적인 에너지와 친밀감을 전달하며, 소비자들에게 열정과 자신감을 상기시키는 데 사용될 수 있습니다. 오렌지색은 창의성과 활동성을 촉진하며, 소비자들과의 관계 형성에 도움을 줄 수 있습니다. 예를 들어, Amazon은 오렌지색을 사용하여 열정과 친근함을 전달합니다.

그밖에 모든 컬러는 각각 상징하는 느낌과 전달하는 이미지가 다릅니다.

분홍색 - 사랑, 로맨스, 부드러움, 여성스러움 등

보라색 - 고귀함, 신비, 로맨스, 우울 등

검은색 - 우아함, 세련됨, 힘, 절제 등

흰색 - 순수함, 청결, 평화, 신성함 등

부드러운
(soft)

맑은

귀여운

은화한

내추럴한

경쾌한

동적인
(Dynamic)

우아한

은은한

정적인
(Static)

화려한

다이나믹한

고상한

점잖은

모던한

딱딱한
(Hard)

ⓒ 제 C-2001-001388 호

※ 출처 : IRI색채디자인연구소

이러한 심리적 효과는 색상이 우리의 감정과 인식에 미치는 영향을 반영한 것입니다. 하지만 개인의 문화적 배경, 경험 및 선호도에 따라 색상에 대한 인식이 달라질 수 있습니다.

따라서 브랜드 컬러를 선택할 때는 타겟 시장의 문화와 선호도를 고려하며, 브랜드의 메시지와 목적에 맞게 적합한 색상을 선택하는 것이 중요합니다.

16 | 폰트 선택과 활용

브랜드 폰트는 브랜드의 시각적인 표현을 담당하는 글꼴의 스타일과 디자인입니다. 폰트는 브랜드의 로고, 제품 패키지, 광고, 웹사이트 등 다양한 매체에서 사용되며, 브랜드의 가치와 메시지를 시각적으로 전달하는 역할을 수행합니다.

그럼 브랜드 폰트가 왜 중요할까요?

- 시각적 일관성 : 브랜드 폰트는 브랜드의 시각적인 일관성을 유지하는 데 중요한 역할을 합니다. 특정한 폰트를 사용함으로써 브랜드의 모든 커뮤니케이션 매체에서 통일된 시각적인 인식을 제공합니다. 이를 통해 소비자들은 브랜드를 쉽게 식별하고 기억할 수 있습니다.

- 브랜드 개성과 정체성 강화 : 폰트는 브랜드의 개성과 정체성을 강화하는데 도움을 줍니다. 폰트의 스타일, 굵기, 기울기 등은 브랜드의 특정한 톤과 분위기를 전달할 수 있습니다.
  예를 들어, 고딕체 폰트는 신뢰성과 전문성을 나타내며, 손글씨체 폰트는 따뜻하고 친근한 느낌을 줄 수 있습니다. 이를 통해 브랜드는 고유한 개성을 구축하고 소비자들에게 강한 인상을 남길 수 있습니다.

- 가독성과 사용자 경험 개선 : 폰트의 가독성은 브랜드의 커뮤니케이션 효과에 직접적인 영향을 미칩니다. 적절한 폰트 선택은 사용자가 콘텐츠를 쉽게 읽고 이해할 수 있도록 도와줍니다. 명확하고 가독성이 좋은 폰트를 사용함으로써 사용자 경험을 개선하고, 브랜드와의 상호작용을 원활하게 할 수 있습니다.

- 브랜드의 시각적 유일성 확보 : 특정한 폰트를 브랜드의 시각적인 특징으로 사용함으로써, 경쟁사와의 시각적인 차별화를 이뤄낼 수 있습니다. 브랜드가 독자적인 폰트를 보유하고 사용함으로써, 소비자들은 해당 폰트를 보고 브랜드를 즉시 식별할 수 있습니다.

브랜드 폰트는 브랜드의 시각적인 표현을 완성하는 중요한 요소입니다. 적절하고 일관된 폰트 선택은 브랜드의 가시성과 인식을 높이며, 소비자들에게 강한 브랜드 이미지를 전달할 수 있습니다.

브랜드 폰트를 선택할 때 고려해야 하는 기준은 다음과 같습니다.

① 브랜드 정체성과 메시지 : 먼저, 브랜드의 정체성과 전달하고자 하는 메시지, 가치 등을 고려해야 합니다. 브랜드가 어떤 가치를 대표하고 어떤 분위기를 전달하려는지를 고려하여 폰트의 스타일과 톤을 선택해야 합니다.

예를 들어, 고급스러운 이미지를 전달하고자 하는 브랜드라면 고딕체나 명조체와 같은 폰트를 선택할 수 있습니다. 반면, 친근하고 가벼운 이미지를 전달하고자 하는 브랜드라면 손글씨체나 캘리그래피체와 같은 폰트를 선택할 수 있습니다.

② 가독성: 브랜드 폰트는 브랜드의 마케팅 자료, 제품이나 서비스에 사용되기 때문에 가독성이 매우 중요합니다. 가독성이 높은 폰트는 글자가 선명하고, 획이 균일하며, 겹쳐져도 잘 알아볼 수 있는 폰트입니다.

너무 복잡하거나 불분명한 폰트는 사용자들에게 혼란을 줄 수 있으므로, 명확하고 가독성이 높은 폰트를 선택하면, 소비자가 브랜드의 정보를 쉽게 이해하고 기억하는 데 도움이 됩니다.

③ 시장 조사 : 브랜드가 목표로 하는 시장과 소비자의 취향을 조사해야 합니다. 어떤 폰트가 해당 시장에서 인기가 있는지, 어떤 폰트가 해당 소비자 그룹에게 호감을 주는지를 파악하여 선택해야 합니다.

④ 경쟁사와의 차별화 : 경쟁사들의 폰트를 분석하고 차별화를 고려해야 합니다. 유사한 분야의 브랜드들이 많을 경우, 독특한 폰트를 선택하여 시각적으로 브랜드를 차별화할 수 있습니다.

⑤ 활용성: 브랜드 폰트는 다양한 크기와 환경에서 사용됨으로 선택한 폰트가 다양한 매체에서 사용될 수 있는 다용도성을 가지는지 고려해야 합니다.

로고, 제품 패키지, 웹사이트, 광고 등 다양한 매체와 환경에서도 일관성 있게 사용될 수 있는 폰트를 선택해야 합니다. 크기와 무관하게 잘 보이고 브랜드의 마케팅 자료, 제품이나 서비스 등 다양한 환경에서 잘 보이는 폰트가 활용성이 높은 폰트입니다.

⑥ 시대와 트렌드: 현재의 디자인 트렌드와 시대적인 요소를 고려해야 합니다. 브랜드가 현대적이고 트렌디한 이미지를 전달하려면, 최신의 폰트 디자인 트렌드를 살펴보고 적절한 폰트를 선택해야 합니다.

브랜드 폰트를 선택할 때 이러한 기준을 고려하면, 브랜드의 메시지와 정체성을 잘 전달하고, 소비자들에게 긍정적인 인상을 남길 수 있는 폰트를 선택할 수 있습니다.

그럼 폰트의 종류와 상징하는 이미지를 알아볼까요?

① 명조체 폰트 (Serif Fonts): 명조체=세리프 폰트는 글자의 끝에 작은 장식적인 선이 추가된 폰트입니다. 이 장식적인 선을 '세리프'라고 부르며, 주로 글자의 맨 위나 맨 아래에 위치합니다. 이러한 폰트는 전통적이고 우아하며 고급스러운 이미지를 상징합니다. 예를 들어, Times New Roman 폰트는 신뢰성과 전통성을 나타내는 폰트로 사용될 수 있습니다. 이 폰트는 대표적인 신문과 잡지에서 사용되며, 전문성과 신뢰성을 강조하는 데 적합합니다.

명조체   Serif Fonts

② 고딕체 폰트 (Sans-serif Fonts) : 고딕체 폰트는 굵고 단순한 선으로 이루어진 폰트로, 현대적이고 깔끔함, 강인함, 신뢰감, 안정감 등을 상징합니다. 예를 들어, Helvetica 폰트는 간결하고 실용적인 이미지로 알려져 있습니다. 이 폰트는 다양한 브랜드에서 사용되며, 현대성과 깔끔한 디자인을 나타내는 데 적합합니다.

고딕체   Sans Serif

③ 손글씨체 폰트 (Script Fonts): 손글씨체 폰트는 사람의 필기체를 모방한 스타일로, 친근하고 개성적인 이미지를 상징합니다. 예를 들어, Brush Script 폰트는 부드럽고 유연한 느낌으로, 친밀감과 창의성을 나타내는 데 적합합니다. 이러한 폰트는 예술, 패션, 카페 등 개성적이고 창의적인 분야에서 많이 사용됩니다.

손글씨체   Script Fonts

④ 독특한 폰트 (Display Fonts): 독특한 폰트는 특별한 디자인과 장식 요소가 있는 폰트로, 창의성과 독창성을 상징합니다. 예를 들어, Rockwell 폰트는 강조된 굵은 선과 독특한 디자인으로 알려져 있으며, 강하고 힘있는 이미지를 상징합니다. 이러한

폰트는 예술, 음악, 엔터테인먼트 등에서 독특하고 개성적인 브랜드를 구축하는 데 적합합니다.

독특한st   Display

이는 몇 가지 예시에 불과하며, 브랜드 폰트 선택은 브랜드의 고유한 정체성과 메시지에 맞추어야 합니다. 브랜드의 가치와 목표를 고려하여 적절한 폰트를 선택하면 브랜드의 이미지를 강화하고 소비자들에게 긍정적인 인상을 전달할 수 있습니다.

17 | 시각적 아이덴티티 개발 의뢰 TIP

로고, 브랜드 컬러, 폰트 등 브랜드의 시각적 아이덴티티 개발은 창업가가 직접 진행하는 것도 가능합니다. 디자인에 대한 기본적인 지식이 있다면, 충분한 연구와 노력을 통해 효과적인 결과를 도출할 수 있습니다.

하지만, 전문적인 지식과 경험이 부족한 경우에는 디자이너나 브랜딩업체에 의뢰하는 것이 더 효과적인 방법일 수 있습니다.

브랜딩과 디자인의 범위와 항목에 따라 다르지만 작업 비용이 발생하는데도 불구하고 디자인 에이전시나 디자이너에게 외주를 맡겨 진행하는 이유가 무엇일까요?

① 전문성 : 디자이너나 브랜딩 업체는 시각적 아이덴티티 개발에 대한 전문적인 지식과 경험을 가지고 있습니다. 그들은 다양한 브랜드와 산업에 대한 인사이트를 보유하고 있으며, 트렌드와 시장 요구 사항을 파악하는 데에 능숙합니다.

또한 브랜드의 이미지와 가치를 고려하여 로고, 폰트, 브랜드 컬러 등을 디자인하며, 이러한 전문성을 통해 브랜드의 정체성을 효과적으로 전달할 수 있습니다.

② 시간과 비용 절약 : 시각적 아이덴티티를 개발은 많은 시간과 비용이 소요되는 작업입니다.

디자인 프로세스는 연구, 아이디어 개발, 수정과 최적화 단계를 거치는데, 이는 창업가에게 많은 시간과 노력을 요구할 수 있습니다. 디자이너나 브랜딩 업체에 의뢰하면, 창업가가 직접 개발하는 것보다 시간과 비용을 절약할 수 있어 자신의 시간과 노력을 다른 중요한 비즈니스 영역에 집중할 수 있습니다. 그들은 전문적인 도구와 기술을 사용하여 작업을 수행하기 때문에, 빠르고 정확하게 작업을 진행할 수 있습니다.

③ 다양한 아이디어 제공 : 디자이너나 브랜딩 업체는 창의성을 바탕으로 다양한 아이디어를 제공하여 브랜드의 목표와 가치를 기반으로 독창적이고 효과적인 시각적 아이덴티티를 개발하는 데 도움을 줄 수 있습니다.

이들은 다양한 경험과 지식을 바탕으로 창업가가 생각하지 못한 아이디어를 제안할 수 있으며, 이를 통해 브랜드의 정체성을 더욱 강화할 수 있습니다.

④ 외부 시각과 객관성: 디자이너나 브랜딩 업체는 창업가에게 외부 시각과 객관성을 제공합니다. 자신의 브랜드에 대한 감정적인 연결이 있을 수 있는 창업가는 외부 전문가의 도움을 통해 더 객관적인 평가와 조언을 받을 수 있습니다. 이는 브랜드의 이미지와 메시지를 개선하고 유망한 시장 기회를 식별하는 데 도움을 줄 수 있습니다.

⑤ 지속적인 관리: 디자이너나 브랜딩 업체는 시각적 아이덴티티를 개발한 후에도 지속적으로 관리를 해줍니다. 이들은 시각적 아이덴티티가 손상되거나 변경될 경우 이를 수정해주며, 브랜드의 이미지를 유지할 수 있도록 도와줍니다.

1. 시각적 아이덴티티 개발 외주의뢰 프로세스

① 목표 설정 : 디자이너에게 시각적 아이덴티티 개발을 맡기기 전에, 먼저 목표를 설정해야 합니다. 목표는 브랜드의 이미지와 가치를 반영해야 하며, 이를 바탕으로 디자이너와 함께 작업을 진행할 수 있습니다.

② 예산 설정 : 시각적 아이덴티티 개발을 제작하는 데 필요한 예산을 설정해야 합니다. 예산은 디자이너의 경력과 작업 시간, 재료 등에 따라 달라질 수 있습니다.

③ 브랜딩(디자인) 에이전시 or 디자이너 선정 : 신뢰할 수 있

는 디자이너나 디자인 에이전시를 찾아봅니다. 이는 디자인의 품질과 결과물의 만족도에 영향을 미칩니다. 포트폴리오를 확인 반드시 확인한 뒤 경력과 실력, 작업 스타일 등을 고려하여 선정해야 합니다.

④ 브리핑 : 디자이너에게 명확한 브리핑을 제공해야 합니다. 브랜드의 가치, 목표, 대상 고객, 산업 특성 등을 상세히 설명하고, 원하는 이미지와 감성을 전달해야 합니다. 가능하면 미팅을 통해 목표와 예산, 작업 일정 등을 협의해야 합니다.

⑤ 시안 제작 : 디자이너는 브리핑을 기반으로 아이디어를 개발하고 목표와 예산, 작업 일정 등을 고려하여 로고, 폰트, 브랜드 컬러 등의 시안을 제작합니다. 시안은 여러 가지 형태로 제작될 수 있으며, 이 단계에서는 디자이너와의 소통과 피드백이 중요합니다.

⑥ 수정 작업 : 디자이너가 제시한 디자인에 대해 피드백을 주고 받으며, 필요한 수정과 보완을 진행합니다. 수정 작업은 디자이너와 함께 진행하며, 목표와 예산, 작업 일정 등을 고려하여 진행해야 합니다.

⑦ 최종 확정 : 수정 작업을 거쳐 완성된 시각적 아이덴티티는 브랜드의 이미지와 가치를 잘 반영해야 하며, 사용자들에게 쉽게 인식될 수 있어야 합니다.

2. 외주 의뢰 시 주의사항

- 디자이너의 포트폴리오와 경험을 확인해야 합니다.
  이는 디자이너의 전문성과 능력을 판단하는 데에 도움
  이 됩니다.

- 명확한 브리핑을 제공해야 합니다.
  목표, 원하는 이미지와 감성 등을 정확히 전달해야 원
  하는 결과물을 얻을 수 있습니다.

- 소통과 피드백은 매우 중요합니다.
  디자이너와 원활한 소통이 이루어지지 않으면 작업이
  지연되거나 결과물이 만족스럽지 않을 수 있습닙니다.
  디자이너와 자주 소통하고, 디자인에 대한 피드백을
  제공하여 최종 결과물을 완성해야 합니다.

- 예산과 일정을 명확히 계획해야 합니다.
  이를 통해 디자이너와 협력할 수 있는 범위를 정하고
  예상치 못한 문제를 예방할 수 있습니다.

3. 외주 의뢰 TIP

- 비용 절감을 위해 온라인 디자인 플랫폼을 활용할 수
  있습니다. 이는 예산이 제한적인 경우에 유용한 대안
  이 될 수 있습니다.

- 다양한 디자이너와 상담을 진행한 후에 결정하는 것이 좋습니다. 이를 통해 다양한 아이디어와 옵션을 비교하고 최적의 선택을 할 수 있습니다.

- 원하는 이미지와 감성을 명확하게 정의하는 것이 중요합니다. 이를 위해 브랜드 스토리텔링을 고려하고, 이미지나 감성을 표현하는데 도움이 될 수 있는 예시 이미지나 컬러 팔레트 등을 제공할 수 있습니다.

창업 준비나 브랜드 런칭을 위한 시각적 아이덴티티 디자인은 브랜드의 성공과 이미지 형성에 큰 영향을 미칩니다. 디자이너와의 원활한 소통과 협력, 명확한 브리핑, 그리고 디자인의 피드백과 수정 과정을 통해 원하는 결과물을 얻을 수 있도록 노력해야 합니다.

Chapter 5
브랜드 커뮤니케이션

브랜드 커뮤니케이션은 브랜드와 고객 간의 상호작용을 통해 브랜드의 가치, 제품, 서비스, 이벤트 등을 고객에게 전달하는 모든 활동을 포함합니다. 이는 광고, 프로모션, 소셜 미디어 활동, 이벤트 마케팅, 컨텐츠 마케팅 등 다양한 방식으로 이루어 질 수 있습니다.

브랜드 커뮤니케이션은 크게 다음과 같은 요소로 구성됩니다.

① 브랜드 메시지 : 브랜드의 정체성과 가치를 담고 있는 메시지

② 브랜드 채널 : 브랜드 메시지를 전달하는 채널

③ 브랜드 콘텐츠 : 브랜드 메시지를 전달하기 위한 콘텐츠

브랜드 커뮤니케이션을 통해 브랜드는 다음과 같은 효과를 얻을 수 있습니다.

- 브랜드 인지도 증가 : 브랜드 커뮤니케이션을 통해 브랜드의 존재를 고객에게 알릴 수 있습니다. 이를 통해 브랜드 인지도를 높이고, 브랜드에 대한 고객의 관심을 유도할 수 있습니다.

- 브랜드 이미지 구축 : 브랜드 커뮤니케이션은 브랜드의 가치와 성격을 고객에게 전달하는 데 중요한 역할을 합니다. 이를 통해 브랜드 이미지를 구축하고, 브랜드의 독특한 개성을 강조할 수 있습니다.

- 고객 관계 강화 : 브랜드 커뮤니케이션은 브랜드와 고객 간의 관계를 강화하는 데 중요한 역할을 합니다. 이를 통해 고객의 브랜드 충성도를 높이고, 고객의 재

구매 의도를 유도할 수 있습니다.

- 제품 및 서비스 판매 증대 : 브랜드 커뮤니케이션은 브랜드의 제품 및 서비스를 고객에게 알리는 데 중요한 역할을 합니다. 이를 통해 제품 및 서비스의 판매를 증대시킬 수 있습니다.

따라서 브랜드는 브랜드 커뮤니케이션 전략을 통해 브랜드의 가치와 제품, 서비스를 효과적으로 고객에게 전달하고, 브랜드 인지도와 이미지를 증진시키며, 고객 관계를 강화하고, 판매를 증대시킬 수 있습니다. 이를 위해 브랜드는 고객 중심의 커뮤니케이션 전략을 수립하고 실행해야 합니다.

브랜드 커뮤니케이션을 요소들을 하나씩 살펴 보겠습니다.

18 | 브랜드 메세지와 톤앤매너

브랜드 메시지는 브랜드의 정체성과 가치를 담고 있는 메시지입니다. 브랜드 메시지는 브랜드 커뮤니케이션의 핵심 요소로, 브랜드의 성공에 중요한 역할을 합니다.

브랜드 메시지가 중요한 이유는 다음과 같습니다.

- 브랜드의 정체성과 가치를 전달합니다. 브랜드 메시지

는 브랜드의 정체성과 가치를 명확하고 간결하게 전달함으로써 고객의 이해와 공감을 얻을 수 있습니다.

- 브랜드의 차별성을 부각합니다. 브랜드 메시지는 브랜드의 차별성을 부각함으로써 경쟁 브랜드와의 경쟁에서 우위를 점할 수 있습니다.

- 브랜드의 인지도를 제고합니다. 브랜드 메시지는 브랜드의 인지도를 제고함으로써 고객의 접근성을 높이고, 브랜드에 대한 호감을 형성할 수 있습니다.

따라서, 효과적인 브랜드 커뮤니케이션 전략을 수립하기 위해서는 브랜드 메시지의 중요성을 이해하고, 이를 효과적으로 전달할 수 있는 방법을 모색해야 합니다.

1. 브랜드 메시지 개발 방법

브랜드 메시지를 개발하는 과정은 브랜드의 가치, 이야기, 제품 또는 서비스의 특징을 명확하게 전달하기 위한 작업입니다. 브랜드 메시지를 개발하는 방법은 다음과 같습니다.

① 목표 설정 : 먼저, 브랜드 메시지 개발의 목표를 설정해야 합니다. 목표는 브랜드가 어떤 메시지를 전달하고자 하는지, 어떤 타깃 시장을 대상으로 하는지를 명확히 정의하는 것입니다.

② 브랜드의 가치와 이야기 파악: 브랜드의 가치와 이야기를 파악하는 것이 중요합니다. 브랜드의 가치는 제품 또는 서비스

의 특징, 우수성, 고객에 대한 약속 등을 포함하며, 브랜드의 이야기는 브랜드의 기원, 가치에 대한 이야기 등을 포함합니다.

③ 타깃 시장 이해 : 브랜드 메시지를 개발하기 위해 타깃 시장을 깊이 이해해야 합니다. 타깃 시장의 욕구, 관심사, 가치관 등을 파악하여 브랜드 메시지에 반영해야 합니다.

④ 핵심 메시지 도출 : 이제 브랜드의 가치와 이야기를 기반으로 핵심 메시지를 도출해야 합니다. 핵심 메시지는 브랜드의 핵심 가치와 제품 또는 서비스의 핵심 장점을 간결하고 명확하게 전달하는 문구입니다. 이는 브랜드의 독특성과 차별성을 강조하는 것이 중요합니다.

⑤ 감정적인 요소 추가: 감정적인 요소는 브랜드 메시지를 더욱 효과적으로 전달하는 데에 도움을 줍니다. 소비자들이 브랜드와의 감정적인 연결을 형성할 수 있도록, 브랜드의 가치와 이야기를 감정적인 언어나 스토리텔링으로 표현해야 합니다.

⑥ 일관성 유지 : 브랜드 메시지는 일관성을 유지해야 합니다. 브랜드 메시지는 모든 커뮤니케이션 채널에서 일관되게 전달되어야 하며, 브랜드의 존재감과 인식을 강화하는 역할을 합니다.

⑦ 테스트와 수정: 브랜드 메시지를 개발한 후에는 테스트와 수정을 거쳐 완성도를 높여야 합니다. 소비자들의 피드백을 수집하고, 메시지의 효과를 평가하여 필요한 수정을 가하는 것이 중요합니다.

브랜드 메시지 개발은 브랜드의 가치와 이야기를 명확하게 전달하고, 소비자들과의 관계를 형성하는 중요한 작업입니다. 이러한 단계를 따라가면서 브랜드 메시지를 개발하면 브랜드의 목표를 달성하고 소비자들에게 강력한 인상을 남길 수 있습니다.

2. 브랜드 메시지 전달방법

- 명확하고 간결하게 : 브랜드 메시지는 명확하고 간결해야 합니다. 메시지가 복잡하면 고객이 이해하는 데 어려움을 겪을 수 있습니다. 브랜드의 핵심 가치와 제품이나 서비스의 주요 특징을 간결하게 표현해야 합니다.

- 고객 중심으로 : 브랜드 메시지는 고객의 입장에서 작성해야 합니다. 고객이 제품이나 서비스를 사용함으로써 무엇을 얻을 수 있는지, 어떤 문제를 해결할 수 있는지를 강조해야 합니다.

- 일관성 유지 : 브랜드 메시지는 모든 커뮤니케이션 채널에서 일관성을 유지해야 합니다. 이를 통해 브랜드의 신뢰성을 높이고, 브랜드 인지도를 향상시킬 수 있습니다.

- 이야기로 전달 : 이야기 형식으로 브랜드 메시지를 전달하면 고객의 감정에 어필하고, 메시지를 기억하기

쉽게 만들 수 있습니다. 브랜드의 가치와 제품이나 서비스의 가치를 고객이 공감할 수 있는 이야기로 표현해보세요.

브랜드 메시지는 브랜드 커뮤니케이션 전략의 핵심 요소이므로, 이를 효과적으로 관리하고 전달하는 것이 중요합니다.

3. 브랜드 톤앤매너(Tone&Manner)

브랜드의 톤앤매너(Tone&Manner)는 브랜드가 대화나 커뮤니케이션을 통해 자신의 성격, 태도, 가치를 어떻게 표현하는지를 정의한 것입니다. 이는 브랜드의 언어 스타일, 이미지, 소리, 색상 등 여러 요소를 포함할 수 있으며, 브랜드 아이덴티티의 중요한 부분입니다.

톤앤매너를 설정하고 관리하는 방법은 다음과 같습니다.

1. 브랜드 가치와 성격 이해 : 브랜드의 톤앤매너를 설정하기 위해 먼저 브랜드의 핵심 가치와 성격을 명확하게 이해해야 합니다. 브랜드가 무엇을 대표하는지, 브랜드의 미션과 비전은 무엇인지를 파악하고, 이를 통해 브랜드의 성격을 정의합니다.

2. 타겟 오디언스 파악 : 브랜드의 톤앤매너는 타겟 오디언스의 공감을 불러 일으켜야 합니다. 이를 위해 타겟 오디언스의 선호, 행동, 문화, 가치 등을 파악하고, 이를 반영하는 톤앤매너를 설정합니다.

3. 톤앤매너 설정 : 브랜드의 가치와 성격, 타겟 오디언스의 특성을 바탕으로 톤앤매너를 설정합니다. 이는 브랜드가 어떤 언어 스타일을 사용할지, 어떤 이미지나 색상을 사용할지, 어떤 감정이나 분위기를 연출할지 등을 결정합니다.

4. 일관성 유지 : 브랜드의 톤앤매너는 모든 커뮤니케이션 채널과 터치포인트에서 일관성을 유지해야 합니다. 이를 통해 브랜드의 신뢰성을 높이고, 브랜드 인지도를 향상시킬 수 있습니다.

5. 톤앤매너 관리 : 브랜드의 톤앤매너는 지속적으로 관리되어야 합니다. 시장 상황, 고객의 변화, 브랜드의 성장 등에 따라 톤앤매너를 조정하고 업데이트해야 합니다.

이러한 방법을 통해 브랜드의 성격과 가치를 반영하는 톤앤매너를 설정하고 관리할 수 있습니다. 이는 브랜드의 인지도를 향상시키고, 브랜드와 고객 간의 감정적 연결을 강화하는 데 중요한 역할을 합니다.

19 | 브랜드 커뮤니케이션 채널

브랜드 커뮤니케이션을 효과적으로 하기 위해 다양한 채널을 활용하는 것이 중요합니다. 다음은 효과적인 브랜드 커뮤니케이션을 위해 이용할 수 있는 주요 채널들입니다.

① 웹사이트 : 브랜드의 공식적인 온라인 플랫폼으로, 제품이나

서비스에 대한 자세한 정보를 제공하고 브랜드 메시지를 전달할 수 있습니다. 웹사이트는 브랜드의 가치와 이점을 강조하는 콘텐츠, 블로그 포스팅, 고객 후기 등을 게시하여 소비자들과의 신뢰와 상호작용을 촉진할 수 있습니다.

② 소셜 미디어 : 소셜 미디어 플랫폼은 대중과의 직접적인 상호작용을 가능하게 해주는 강력한 도구입니다. 페이스북, 인스타그램, 트위터, 유튜브 등을 통해 브랜드 메시지를 공유하고, 콘텐츠를 확산시키며, 소비자들과의 대화와 참여를 유도할 수 있습니다.

③ 이메일 마케팅 : 이메일은 개인적이고 직접적인 접촉을 가능하게 해주는 효과적인 커뮤니케이션 도구입니다. 구독자들에게 뉴스레터, 프로모션, 이벤트 등의 정보를 제공하여 브랜드와의 연결을 강화할 수 있습니다. 이메일 마케팅을 통해 개인화된 메시지를 전달하고, 고객의 관심과 선호도에 맞는 콘텐츠를 제공할 수 있습니다.

④ 광고 채널 : 광고는 브랜드의 가시성을 높이고 메시지를 대중에게 전달하는 데에 효과적인 수단입니다. 텔레비전, 라디오, 인터넷 광고, 옥외 광고 등 다양한 광고 채널을 활용하여 대중에게 브랜드 메시지를 전달할 수 있습니다.

⑤ 이벤트 및 스폰서십: 이벤트와 스폰서십은 브랜드와 소비자들 간의 실제적인 접촉과 상호작용을 제공합니다. 브랜드가 직

접 참여하거나 후원하는 이벤트를 통해 소비자들과의 경험을 공유하고, 브랜드 가치를 강조할 수 있습니다.

⑥ PR 활동 : 언론 매체와의 협업을 통해 브랜드 메시지를 대중에게 전달할 수 있습니다. 보도자료, 언론 기사, 인터뷰 등을 통해 브랜드의 이야기를 전달하고, 미디어를 통해 브랜드 인식을 높일 수 있습니다.

⑦ 온라인 커뮤니티 및 포럼 : 관련된 온라인 커뮤니티나 포럼에 참여하여 소비자들과의 상호작용을 활성화할 수 있습니다. 브랜드와 관련된 주제에 대해 소비자들과의 대화에 참여하고, 질문에 답변하며 브랜드 메시지를 전달할 수 있습니다.

이러한 다양한 채널을 조합하여 브랜드의 메시지를 효과적으로 전달할 수 있습니다. 중요한 것은 브랜드의 목표와 타깃 시장을 고려하여 적절한 채널을 선택하고, 메시지를 일관되게 유지하는 것입니다.

또한, 소비자들과의 상호작용을 적극적으로 추구하여 브랜드와 소비자들 간의 긍정적인 관계를 구축하는 것이 중요합니다.

각 소셜 미디어 플랫폼은 고유한 특성과 사용자 프로필을 가지고 있으므로, 브랜드의 특성과 타깃 시장에 맞게 선택해야 합니다. 아래에 효과적인 소셜 미디어 플랫폼 몇 가지를 설명해드리겠습니다.

① 페이스북 : 페이스북은 가장 큰 사용자 규모를 가진 소셜

미디어 플랫폼 중 하나로, 다양한 타깃 시장에 접근할 수 있습니다. 브랜드 페이지를 생성하여 제품 또는 서비스에 대한 정보를 공유하고, 콘텐츠를 게시하여 소비자들과의 상호작용을 유도할 수 있습니다. 광고 기능과 타게팅 옵션도 다양하게 제공되어 브랜드 메시지를 타깃 시장에 맞게 전달할 수 있습니다.

② 인스타그램 : 인스타그램은 시각적인 콘텐츠를 중심으로 한 소셜 미디어 플랫폼으로, 이미지와 동영상을 활용하여 브랜드 메시지를 전달할 수 있습니다. 브랜드의 제품, 서비스, 라이프스타일 등을 아름다운 이미지와 스토리텔링으로 표현하여 소비자들에게 인상적인 경험을 제공할 수 있습니다.

③ 유튜브 : 유튜브는 동영상 콘텐츠를 공유하는 데에 특화된 플랫폼으로, 브랜드 메시지를 시각적이고 몰입적으로 전달할 수 있습니다. 브랜드의 제품 데모, 튜토리얼, 브랜드 이야기 등을 동영상으로 제작하여 소비자들에게 유용한 정보와 엔터테인먼트를 제공할 수 있습니다.

④ 트위터 : 트위터는 실시간 소식과 짧은 메시지를 공유하는 소셜 미디어 플랫폼으로, 신속한 응답과 상호작용이 중요한 경우에 활용될 수 있습니다. 브랜드의 최신 소식, 이벤트, 프로모션 등을 트윗으로 공유하고, 소비자들과의 대화를 유도하여 브랜드 인지도를 높일 수 있습니다.

⑤ 링크드인 : 링크드인은 전문적인 네트워크와 비즈니스 관련

컨텐츠를 공유하는 플랫폼으로, B2B(Business-to-Business) 마케팅에 효과적입니다. 브랜드의 전문성과 업계 지식을 강조하는 콘텐츠를 공유하고, 관련된 비즈니스 그룹에 참여하여 소비자들과의 전문적인 관계를 형성할 수 있습니다.

이외에도 Snapchat, Pinterest, TikTok 등 다양한 소셜 미디어 플랫폼이 있으며, 브랜드의 특성과 타깃 시장을 고려하여 적합한 플랫폼을 선택해야 합니다.

브랜드 메시지를 효과적으로 전달하기 위해서는 선택한 플랫폼에 맞는 콘텐츠 전략과 상호작용을 구축하고, 소비자들과의 관계를 적극적으로 유지하며 브랜드의 가치와 이야기를 전달하는 것이 중요합니다.

20 | 브랜드 커뮤니케이션 전략수립 및 효과측정

효과적인 브랜드 커뮤니케이션 전략을 수립하기 위해서는 몇 가지 주요한 단계를 따라야 합니다. 다음은 그 단계들에 대한 설명입니다.

1. 전략수립 프로세스

① 목표 설정 : 브랜드 커뮤니케이션의 목표를 명확히 설정하는 것이 첫 단계입니다. 이는 브랜드 인지도 향상, 고객의 구매

의도 증가, 브랜드 충성도 증대 등이 될 수 있습니다. 목표는 구체적, 측정 가능, 달성 가능, 실제적, 시간에 구애받는(SMART)해야 합니다.

② 타겟 고객 이해 : 누구에게 메시지를 전달할 것인지를 이해하는 것이 중요합니다. 타겟 고객의 라이프스타일, 선호, 행동패턴 등을 분석하여 그들이 어떤 메시지에 반응할지, 어떤 매체를 주로 사용하는지 등을 파악해야 합니다.

③ 브랜드 메시지 및 톤앤매너 개발 : 브랜드의 핵심 가치와 타겟 고객의 요구를 반영한 메시지를 개발합니다. 또한, 브랜드의 성격과 일관성을 유지하는 톤앤매너를 설정합니다.

④ 적절한 커뮤니케이션 채널 선택 : 타겟 고객이 주로 사용하는 채널과 브랜드 메시지를 효과적으로 전달할 수 있는 채널을 선택합니다. 이는 TV, 라디오, 소셜 미디어, 이메일 등 다양한 매체가 될 수 있습니다.

⑤ 전략 실행 및 모니터링: 커뮤니케이션 전략을 실행하고, 그 효과를 주기적으로 모니터링합니다. 이를 통해 전략이 목표를 달성하는데 효과적인지 평가하고 필요한 경우 전략을 수정하거나 개선할 수 있습니다.

 이렇게 목표 설정부터 타겟 고객 이해, 메시지 개발, 채널 선택, 실행 및 모니터링까지의 단계를 거치면 효과적인 브랜드 커뮤니케이션 전략을 수립할 수 있습니다.

이 과정에서 가장 중요한 것은 고객 중심의 접근법을 유지하는 것입니다. 브랜드의 목표와 메시지가 고객의 요구와 기대에 부합하도록 전략을 수립해야 합니다.

2. 브랜드 커뮤니케이션 효과측정 방법

브랜드 커뮤니케이션의 효과를 측정하는 것은 전략의 효과성을 확인하고, 개선사항을 찾아내며, 투자의 가치를 증명하고, 고객을 더 잘 이해하는 데 중요한 역할을 합니다. 브랜드 커뮤니케이션의 효과를 측정함으로써 브랜드의 성과를 평가하고 개선할 수 있으며, 자원 효율성을 높이고 경쟁 우위를 확보하는 데에 도움을 줍니다. 또한, 고객 인식과 관계의 개선을 통해 브랜드의 성장과 발전을 이끌 수 있습니다.

브랜드 커뮤니케이션의 효과를 측정하기 위해 다양한 지표와 도구를 활용할 수 있습니다. 아래에 브랜드 커뮤니케이션 효과를 측정하는 방법을 설명해드리겠습니다.

① 브랜드 인지도 : 브랜드 인지도는 브랜드가 얼마나 잘 알려지고 인식되는지를 나타내는 지표입니다. 설문조사, 통계 데이터, 소셜 미디어 분석 등을 통해 브랜드 인지도를 측정할 수 있습니다.

② 소셜 미디어 분석 : 소셜 미디어에서 브랜드와 관련된 언급과 상호작용을 분석하여 브랜드 커뮤니케이션의 영향력을 측정할 수 있습니다. 언급량, 공유 및 좋아요 수, 댓글 및 리트윗 등

의 지표를 분석하여 브랜드의 온라인 영향력을 파악할 수 있습니다.

③ 고객 만족도 조사 : 고객 만족도 조사는 브랜드 커뮤니케이션의 효과를 측정하는 중요한 도구입니다. 설문조사나 인터뷰를 통해 고객들의 만족도를 평가하고, 브랜드 커뮤니케이션의 영향력을 파악할 수 있습니다.

④ 판매 및 수익 증가: 브랜드 커뮤니케이션의 효과는 판매량과 수익 증가에도 영향을 미칠 수 있습니다. 판매 데이터와 수익 데이터를 분석하여 브랜드 커뮤니케이션의 성과를 측정할 수 있습니다.

⑤ 온라인 행동 분석 : 웹사이트 분석 도구를 활용하여 사용자의 온라인 행동을 분석하고, 브랜드 커뮤니케이션의 효과를 측정할 수 있습니다. 방문자 수, 페이지 뷰, 전환율 등의 지표를 분석하여 브랜드 커뮤니케이션의 영향력을 평가할 수 있습니다.

⑥ 경쟁사 분석 : 경쟁사의 브랜드 커뮤니케이션과 비교하여 자사의 성과를 평가할 수 있습니다. 경쟁사와의 비교를 통해 자사의 강점과 개선할 부분을 파악하여 브랜드 커뮤니케이션 전략을 조정할 수 있습니다.

이외에도 맞춤형 지표나 도구를 사용하여 브랜드 커뮤니케이션의 효과를 측정할 수 있습니다. 중요한 것은 측정할 지표를 명확하게 설정하고, 일정한 주기로 정량적 및 정성적 데이터를 수집하고 분석하여 브랜드 커뮤니케이션 전략을 평가하고 개선하는 것입니다.

3. 효과측정 결과를 통한 전략개선

브랜드 커뮤니케이션의 효과 측정 결과를 분석하여 전략을 개선하는 방법은 다음과 같습니다.

① 결과 해석 : 브랜드 커뮤니케이션의 효과 측정 결과를 해석하여 어떤 부분이 잘 작동하고 어떤 부분이 개선이 필요한지 파악합니다. 예를 들어, 특정 캠페인이 높은 참여율을 기록했다면, 그 캠페인의 성공 요인을 분석하고 이를 다른 캠페인에 적용할 수 있습니다.

② 고객 피드백 반영 : 고객의 피드백과 반응을 철저히 분석하고 이를 전략 개선에 활용합니다. 고객들이 브랜드 메시지를 어떻게 받아들였는지, 어떤 부분에 더 관심을 보였는지 등을 확인하고, 이를 통해 고객들이 가장 흥미롭게 생각하는 요소를 파악합니다.

③ 실험과 테스트 : 다양한 커뮤니케이션 전략을 실험하고 테스트하여 어떤 전략이 가장 효과적인지 확인합니다. A/B 테스트는 이를 위한 좋은 방법으로, 두 가지 다른 전략을 동시에 실행하여 어떤 것이 더 나은 결과를 가져오는지 비교합니다.

④ 지속적인 모니터링 : 브랜드 커뮤니케이션의 효과는 지속적으로 모니터링되어야 합니다. 시장의 변화, 고객의 행동 변화,

새로운 경쟁 상황 등에 따라 전략을 개선하고 조정해야 합니다.

브랜드 커뮤니케이션 전략 개선은 지속적인 과정입니다. 측정과 분석, 피드백 반영, 실험과 테스트, 그리고 지속적인 모니터링을 통해 브랜드 커뮤니케이션의 효과를 향상시킬 수 있습니다. 이를 통해 브랜드는 고객과의 연결을 강화하고, 브랜드 메시지의 전달을 최적화할 수 있습니다.

맺음말

이 책을 통해 브랜딩의 전체적인 과정을 알아보았습니다.

브랜딩과 디자인의 이해에서 시작하여 전략 수립, 아이덴티티와 시각적 아이덴티티 개발, 그리고 브랜드 커뮤니케이션까지, 브랜딩의 모든 단계는 서로 연결되어 있습니다.

브랜딩은 지속적인 과정입니다. 시장의 변화, 고객의 필요성, 경쟁 상황 등에 따라 브랜드는 계속해서 자신의 전략을 조정하고 개선해야 합니다. 이를 위해 브랜드 커뮤니케이션의 효과를 지속적으로 측정하고 분석하는 것이 중요합니다.

이 책이 브랜딩의 복잡한 여정을 이해하는 데 도움이 되었기를 바랍니다. 브랜드는 그들의 이야기를 효과적으로 전달함으로써 고객과의 감정적 연결을 강화하고, 고객이 브랜드를 선호하고 신뢰하게 만듭니다. 이는 브랜드의 성공을 위해 필수적인 요소입니다. 따라서, 이 책에서 배운 지식과 전략을 활용하여

브랜드의 이야기를 더 효과적으로 전달하고, 브랜드의 가치를 극대화하는 데 기여하기를 바랍니다.